Anneke de Blok

Hoezo, *geraniums!*

stoppen met werken en verder

SLOTERVAART

Pieter Callandlaan 87 b   1065 KK Amsterdam
Tel. 615 05 14
slvovv@oba.nl

TIRION

Dit boek is gepubliceerd door
Tirion Uitgevers BV
Postbus 309
3740 AH Baarn
www.tirionuitgevers.nl

Deze uitgave kwam tot stand in samenwerking met Omroep MAX

Omslagontwerp: Hans Britsemmer
Vormgeving binnenwerk: Anneke de Blok

Tweede, herziene editie

ISBN 978.90.4390.993.8
NUR 740, 748

© 2007 Tirion Uitgevers BV, Baarn

Inhoud

Voorwoord

Stoppen met werken en verder? Deze woorden vindt u op het omslag, maar dan zonder het vraagteken. Een boeiende zoektocht veranderde een vraag in een antwoord en dat antwoord ziet er anders uit dan ik had verwacht. Na honderd interviews met vutters en gepensioneerden blijkt om te beginnen dat 'de senior' niet bestaat. Iedereen ervaart het stoppen met werken op een andere manier, met eigen bezigheden, interesses, achtergronden en leefomgeving. Op de ruim dertig vragen die ik stelde, volgden dan ook de meest uiteenlopende antwoorden en gesprekken. Dit leverde bij elkaar een schat aan ervaringen en ideeën op, en niet minder belangrijk: een bemoedigend en positief beeld van een bestaan zonder werk.

In de praktijk blijkt er heel veel te genieten, te beleven en te delen. Daarbij valt naast een lach op zijn tijd ook best een traan, maar een leven zonder werk is absoluut de moeite waard om geleefd te worden.

Ik wil iedereen die op wat voor manier dan ook een bijdrage aan dit boek heeft geleverd heel hartelijk bedanken. Zonder al die enthousiaste, interessante en soms ook ontroerende verhalen was *Hoezo, geraniums!* er niet gekomen. Naast de interviews leverden ook de ontelbare telefoontjes met instanties en bedrijven veel nuttige informatie op. Aan iedereen die hieraan zijn of haar medewerking heeft verleend ook mijn dank.

Veel gesprekken werden hartelijk en welgemeend beëindigd met de opmerking '... en veel succes met uw boek verder!' Op mijn beurt wens ik u nu veel leesplezier. Een fijne en bijzondere tijd toegewenst, in goede gezondheid.

Anneke de Blok
Veessen, januari 2007

Inleiding

Maandagochtend klinken al vroeg de eerste filemeldingen. Het leger der werkenden spoedt zich naar fabrieken, kantoren, instellingen en winkels. Ter plekke gaat men serieus aan de slag. Hoeveel van deze mensen zouden blijven werken, als ze de vrije keuze hadden om dit al dan niet te doen? Misschien wel meer dan we in eerste instantie denken. Stel dat je veertig bent en met plezier naar je werk gaat. Zomaar op een maandagmorgen word je verzocht om samen met je collega's naar de kantine te komen. Schrik alom! Stelt u zich daarbij de volgende onwaarschijnlijke situatie voor: directeur Jansen komt binnen en met een opgewekt gezicht steekt hij direct van wal: 'Beste en zeer gewaardeerde medewerkers. Ik heb geweldig nieuws voor u. Door een aanzienlijke erfenis en mede dankzij de bijzondere bedrijfsresultaten gaan we vanaf vandaag genieten. U mag naar huis en zolang u geen betaald werk aanneemt, krijgt u doorbetaald tot aan uw vijfenzestigste.' Tot verbijstering van Jansen valt er een doodse stilte.

Een dergelijk voorbeeld zal zich in de praktijk niet snel voordoen. Zo ja, dan zou zo'n feestelijke mededeling nogal wat gemengde gevoelens opleveren. Geen werkdruk meer, geen files, geen zorgen over je inkomen en alle vrijheid, geweldig! Wel moet je afscheid nemen van je collega's, je werkplek en je beroep. Neem daarbij de onzekerheid over een zinnige invulling van al die vrije dagen en de twijfels slaan toe. Ook degenen die niet onverwacht naar huis worden gestuurd maar vanwege hun leeftijd afscheid nemen, staan niet in alle gevallen direct te juichen. Veel mensen stoppen rond de zestig jaar met werken en hebben dan vaak nog zo'n twintig jaar voor de boeg. Dat is een kwart van je leven! Veel te lang om maar een beetje in te dutten en lijdzaam je einde af te wachten. Een zee aan tijd dient zich aan, en hoe we die tijd beleven hangt voor een groot deel af van onze bezigheden en contacten. Zit alles mee, dan vliegen de dagen voorbij maar voor wie zijn draai niet kan vinden of zich eenzaam voelt, lijken de uren te kruipen.

De praktijk

Alleen op een flatje vierhoog in de binnenstad en dan met pensioen? Je verwacht al gauw dat iemand in een dergelijke situatie het moeilijk krijgt. Wie samen met een partner in een mooi huis ergens buiten woont, zal wel veel meer genieten van zijn welverdiende rust. In de praktijk werkt het niet zo. Een zinnige, interessante of gewoon gezellige invulling van de tijd blijkt het meest noodzakelijke ingrediënt om met plezier de dag te beginnen. De contacten met anderen spelen daarbij een belangrijke rol. Deze situatie geldt voor iemand die nog werkt net zo. Maar het werk is er niet meer en de bijbehorende contacten verdwijnen in de loop der jaren. Waar de dagen bij de één als vanzelfsprekend worden ingevuld, moet de ander moeite doen om zijn draai te vinden. Karakter, omstandigheden en ervaringen zijn bij iedereen weer anders. Een pasklaar recept om de overgang tussen werken en niet werken soepel te laten verlopen is dan ook niet voorhanden. De informatie in dit boek is meer bedoeld om u op ideeën te brengen en om u waar nodig van informatie te voorzien. De ervaringen van anderen zijn daarbij niet alleen nuttig, maar ook bemoedigend en inspirerend. De rest is aan u.

Getallen, bedragen en adressen

In dit boek wordt een groot aantal getallen en bedragen genoemd. Deze zijn bedoeld als indicatie en kunnen inmiddels gewijzigd zijn. Van alle genoemde instanties, verenigingen en bedrijven vindt u achter in dit boek de adresgegevens onder de naam van het betreffende hoofdstuk. Zo nodig kunt u daar zelf de actuele gegevens opvragen.

Bronvermelding

De vele interviews met vutters en gepensioneerden vormen de basis voor dit boek. Daarnaast is informatie verzameld via de websites en de brochures van het CBS (Centraal Bureau voor de Statistiek), de Belastingdienst, de Sociale Verzekeringsbank, de Seniorenbonden, een groot aantal andere relevante instanties en bedrijven en de (landelijke) pers. Een aparte bronvermelding verdient seniorweb.nl. De actuele onderwerpen en opiniepeilingen onder de bezoekers zorgden met regelmaat voor actuele aanvullende informatie. Bij informatie die via de diverse websites werd verstrekt is in de meeste gevallen persoonlijk om een toelichting gevraagd. Voor een deel van de verdere informatie geldt dat er geen exacte bronvermelding voorhanden is, daar nieuws en feiten vaak gelijktijdig via diverse mediakanalen worden verspreid.

Uw reacties zijn welkom

Hoe zinnig is het om een reactie te schrijven naar een auteur? Je kent de persoon niet echt en je vraagt je af of iemand wel zit te wachten op je op- of aanmerkingen. Het zou jammer zijn als u zich door dergelijke gedachten laat weerhouden, want uw reacties zijn van harte welkom. Daarbij maakt het niet uit of u nuttige informatie wilt aandragen, kritiek wilt leveren, uw belevenissen wilt vertellen of zo maar de groeten wilt doen. Uit ieder contact ontstaan weer nieuwe gedachten en ideeën, en een bijdrage hieraan is altijd nuttig. Reacties kunt u sturen per post of per e-mail.

Gedwongen of vrijwillig afscheid

Een regel uit de sportkrant waarbij u zich de foto wel kunt voorstellen: 'Diep teleurgesteld en met een wrang gevoel nam de bondscoach afscheid.' Dat het hier om een gedwongen afscheid gaat is duidelijk en in de meeste gevallen voelt dat niet feestelijk. Anderen hebben een beslissing genomen over een belangrijk onderdeel in je leven. Je werk en je collega's raak je kwijt en daarbij voel je je ook nog eens afgedankt. Heel anders voelt een afscheid waarbij de laatste werkdag in goed overleg is vastgesteld. Je weet wat je te wachten staat en je krijgt de gelegenheid om je daarop voor te bereiden. Kun je daarbij ook nog eens met voldoening terugkijken op een mooie periode, dan ga je onder goede condities van start.

Het lijkt allemaal zo goed geregeld tegenwoordig: arbeidsovereenkomsten, loopbaangesprekken en allerhande regelingen beschermen de werknemer tegen al te grillige beslissingen van de werkgever. In de praktijk blijken deze maatregelen soms flinterdun en in de afgelopen jaren zijn heel wat oudere werknemers tegen hun zin vroegtijdig aan de kant geschoven. Degenen die graag eerder wilden stoppen maakten van de nood een deugd en grepen deze kans met beide handen aan. Voor anderen zat er niets anders op dan ongewild afscheid te nemen van beroep en collega's.

Niet te geloven

Het verhaal van een van de geïnterviewden was wel een heel droevig voorbeeld van een gedwongen afscheid. Als medewerkster van een grote organisatie had ze nog twee jaar te gaan om haar veertig pensioenjaren vol te maken. Al achtendertig jaar werkte ze bij dezelfde werkgever en dat deed ze met veel plezier. Er leek geen wolkje aan de lucht, totdat ze van de ene op de andere dag voor de 'keuze' werd gesteld om eerder dan gepland te stoppen. Bij de reorganisatie zou er toch maar van alles veranderen en voor die twee jaar nog een cursus volgen leek geen verstandige optie. De vrouw merkte tijdens het gesprek al snel dat haar eigen mening niet op prijs werd gesteld. Weigeren hield waarschijnlijk in dat ze voortaan 's ochtends van huis ging naar een plek waar ze ongewenst was. Op de onthutste vraag: 'Tot wanneer werk ik dan nog?', was het antwoord duidelijk. 'Wij stellen u voor om deze maand nog in dienst te blijven. Dan kunt u uw vakantiedagen nog opnemen en dan bent u volgende week vrijdag voor het laatst.' Een ijskoude douche na zoveel jaren trouwe dienst, en dit voorbeeld behoort jammer genoeg niet tot de zeldzame uitzonderingen. Veel senioren beëindigen op een onprettige manier een lange periode van gemotiveerd en hard werken.

Positieve geluiden

Gelukkig waren er ook veel goede berichten: de vrijheid om wel of niet eerder te stoppen, een uitgebreide begeleiding, langzaam afbouwen en een feestelijk en welgemeend afscheid kwamen veelvuldig aan de orde. In goed overleg is veel mogelijk en ook een gedwongen afscheid kan met de juiste aandacht op een waardige manier verlopen. Van de honderd geïnterviewden gaven dertig mensen aan dat een reorganisatie de oorzaak was van hun vervroegde stop. Van deze groep kunnen maar vijf mensen zeggen dat ze hun werk nog missen of gemist hebben. Alle anderen zijn, soms tot hun eigen verbazing, hun werk achteraf liever kwijt dan rijk. Een veelvoorkomende reden hiervoor is de verandering van de werksfeer in de laatste jaren. Bij reorganisaties hangt er al gauw een sfeer van onzekerheid in de lucht. Niemand weet waar hij precies aan toe is en daardoor ontstaan snel de nodige spanningen.

'Het eerste uur op maandagochtend dacht ik: wat heb ik nou gedaan! Toen ben ik in de auto gestapt om een snijmachine te gaan kopen. Daarna ben ik wekenlang bezig geweest met boekbinden.'

Oud is niet langer 'out'

Tien jaar geleden werden veel werknemers voor hun zestigste aangespoord om het veld te ruimen. Jonge werknemers waren het helemaal en moesten de kans krijgen om door te stromen. Niet iedereen had moeite met deze tendens en veel senioren maakten gebruik van de VUT-regeling. Door de vergrijzing worden senioren tegenwoordig juist weer gestimuleerd om zo lang mogelijk te blijven werken. De vraag is of bij de invoering van stimulerende maatregelen rekening wordt gehouden met persoonlijke omstandigheden en de zwaarte van het werk. Met name veel mensen in zware beroepen vragen zich bezorgd af tot op welke leeftijd zij hun werk op een verantwoorde manier kunnen volhouden.

Demotie, een nieuwe koers

Informatie over demotie komt in dit boek waarschijnlijk wat als mosterd na de maaltijd. Toch in het kort even uitleg over deze term, zodat u weet waar men over praat. Demotie is een teruggang van een hogere functie naar een lagere. Dit klink als een degradatie maar als het aan het kabinet ligt, verliest deze term in de komende jaren zijn negatieve imago. Om senioren langer aan het werk te houden zijn er inmiddels diverse maatregelen genomen. Het promoten van demotie is daar voor de komende jaren aan toegevoegd. Wanneer senioren langer betrokken blijven bij het arbeidsproces kun je je afvragen in hoeverre zij daarvoor de veerkracht in huis hebben. Uit een onderzoek van TNO blijkt dat het ziekteverzuim van oudere werknemers niet afhankelijk is van hun leeftijd, maar wel van het aantal uren dat zij werken. Een stapje terug naar een functie waarbij wat minder uren worden gemaakt biedt perspectief. Het initiatief hiervoor kan zowel van de werknemer als van de werkgever uitgaan. Demotie kan ook in verplichte vorm aan de orde komen, bijvoorbeeld tijdens een reorganisatie. Een stapje terug op de carrièreladder wordt niet zomaar gedaan. Negatieve financiële consequenties moeten daarom zoveel mogelijk worden beperkt. Ook is het niet de bedoeling dat de werknemer demotie als gezichtsverlies ervaart. Het woord demotie moet positieve associaties gaan oproepen met 'verstandig', 'maatschappelijk bewust' en 'voor de hand liggend'.

'Ik had graag nog wat jaren doorgewerkt.'

Wordt het wel wat zonder werk?

Wel of niet langer blijven werken, een stapje terugdoen, minder uren maken? Moeilijke vragen als je nog volop in de running bent. Op de een of andere manier lijkt er een stevig matglazen raam te liggen tussen de werkenden en de nietwerkenden. Zie je al iets doorschemeren dan is het beeld vaak vertekend, want je verplaatsen in iemand die al gestopt is valt niet mee. 'Wat doe je dan de hele week?' vraag je aan een gepensioneerd collega. Een duidelijk antwoord blijft uit, terwijl hij pas nog beweerde iedere dag druk te zijn. 'Maar met wat dan?' vraag je vertwijfeld. 'Gewoon met van alles en nog wat. En ik heb het prima naar mijn zin.' Hoofdschuddend ga je weer aan het werk. Zijn wereld is de jouwe niet en er vormt zich nog wat extra bewolking aan de andere kant van de ruit.

'Rond het middaguur liep ik in het winkelcentrum van mijn woonplaats. Ik had wat boodschappen gedaan en in gedachten ging ik na of ik niets vergeten was. Een spiegeling in de etalageruit leidde me af: vanuit mijn ooghoeken zag ik een haastige figuur naast me. Wat loopt die vent als een idioot te rennen, dacht ik. Met een schok bleef ik staan. Die idioot was ik zelf! Al zes weken geleden was ik gestopt met werken. Op een drafje tussen de middag boodschappen doen was helemaal niet meer nodig. Ik heb me omgedraaid en ben op mijn gemak ergens koffie gaan drinken. Toen drong het pas echt tot me door: ik had alle tijd van de wereld!'

Druk

Waar de geluiden vandaan komen dat veel senioren tussen de vijfenvijftig en vijfenzestig jaar geen zinvolle dagbesteding kunnen vinden is raadselachtig. De verhalen van de geïnterviewden geven een heel ander beeld. Niet iedereen vindt binnen een paar weken of maanden zijn of haar draai, maar na verloop van tijd is bijna iedereen druk met van alles en nog wat. Eenmaal gewend moet het merendeel er niet aan denken om weer aan het werk te gaan. Met al hun al dan niet zinnige bezigheden zouden ze daar ook helemaal geen tijd voor hebben.

'Ik was vijfenvijftig toen ik stopte. We zijn eerst samen twee maanden met een rugzak door Australië gaan zwerven.'

Wel of niet voorbereiden

Met de laatste weken voor de boeg maak je je een voorstelling van een bestaan zonder werk. De zon schijnt, je hebt een prima humeur en ook nog eens een roze bril op. Mijmerend droom je weg, ver van je bureau en je omgeving. In gedachten fiets je zorgeloos langs de velden en een ongekend gevoel van vrijheid overvalt je. Eigen baas, alle tijd van de wereld, geen gehaast meer, geen files, weg met die stropdas, het kan niet op. Weer bij je positieven vraag je je af hoe je die laatste weken nog door moet komen. De volgende dag regent het, je hebt slecht geslapen en de roze bril heeft plaatsgemaakt voor een gifgroen exemplaar. Je vermoeide blik dwaalt af naar het raam en de buitenwereld grijnst je donker en grijs tegemoet. Half tien wijst de klok. Wat ben je over een paar weken rond deze tijd aan het doen? Je ziet jezelf eenzaam rondslenteren in een mistroostig winkelcentrum en iedereen om je heen is druk, druk, druk. Een weg terug is er niet, want op jouw stoel achter jouw bureau zit straks iemand anders jouw werk te doen.

Je inleven is moeilijk

Tegenstrijdige gevoelens en gedachten zijn niet ongewoon wanneer je geconfronteerd wordt met ingrijpende veranderingen. Je eerste schooldag, een nieuwe baan, naar het buitenland, een kind krijgen: allemaal situaties waarbij we ons van tevoren proberen in te denken hoe het zal zijn. Vaak is dat niet eenvoudig. Je vraagt anderen naar hun ervaringen, maar je betwijfelt of je straks wel hetzelfde zal voelen als Jantje of Pietje. Je inleven in hun situatie blijft moeilijk en in de praktijk pakt het voor iedereen weer anders uit. Eenmaal in de nieuwe situatie aanbeland verloopt de communicatie direct een stuk eenvoudiger. Je herkent dingen van elkaar en je kunt ervaringen uitwisselen. Je hoort er als het ware bij en de club die je achterlaat bevindt zich binnen de kortste keren in een andere wereld. Veel mensen die hun oude werkomgeving opzoeken, ervaren dit al na een paar weken. Je maakt geen deel meer uit van het geheel, je bent slechts op bezoek. Op een plaats waar je tot voor kort met moeite een vrije dag kon nemen, draait nu alles zonder jou gewoon door.

Voorbereiden is heel persoonlijk

'Laat eerst alles eens rustig op je afkomen', luidde het advies van enkele geïnterviewden. 'Bereid je goed voor en zoek vast bezigheden', zeiden weer anderen.

Ook werd meerdere malen opgemerkt dat het volgen van een prepensioencursus een echte aanrader is. De meningen over wel of niet voorbereiden liepen dus nogal uiteen. Wat was het resultaat in de praktijk? Hadden alleen de mensen die zich actief hadden voorbereid het snel naar hun zin of was dit juist andersom het geval? Een 'ja' of 'nee' op deze vraag is er niet, want duidelijke overeenkomsten tussen de manier van voorbereiden en het effect daarvan kwamen niet naar voren. De persoonlijke ervaringen waren heel verschillend en daaruit conclusies trekken is zoiets als 'appels met peren vergelijken'. Ook is niet na te gaan of eenzelfde persoon bij een heel andere voorbereiding alles anders zou beleven. Je stopt tenslotte maar één keer met werken. In de praktijk zal iedereen zijn eigen weg moeten zoeken. Net zoals bij de voorbereiding van een verre vakantie verschilt de manier waarop dit gebeurt van persoon tot persoon. Waar de één al weken van tevoren vrolijk bezig is met het verzamelen van informatie en de benodigde spullen, pakt de ander op het laatste moment fluitend zijn creditcard en zijn tandenborstel.

'Denk vooruit, zorg dat je straks wat om handen hebt.'

De mogelijkheden moeten er wel zijn

Het kleurrijke bibliotheekboek over de vakantiebestemming is uitgeleend, de speciale muggenstift voor de tropen is uitverkocht en ook een goede wegenkaart is niet voorhanden. De door het reisbureau georganiseerde dia-avond is wegens ziekte afgelast. Het type 'creditcard en tandenborstel' haalt over dit onheil hooguit verwonderd de schouders op, maar de echte voorbereider voelt zich bij dit alles heel onaangenaam. Eenzelfde gevoel kan bij hem of haar ontstaan wanneer er geen mogelijkheden voorhanden zijn om je voor te bereiden op een nieuwe levensfase. Je wilt er graag alle aandacht aan schenken, maar je weet niet hoe.

Ook voldoende tijd is belangrijk

Een al te abrupt afscheid is in de meeste gevallen erg belastend. 'Je groeit ernaar toe', werd meerdere malen opgemerkt, maar die gelegenheid is er in de praktijk niet altijd. Bij een gedwongen vertrek houdt men de werknemers liever niet al te lang meer in dienst en bij acute gezondheidsproblemen is het afscheid vaak van de ene op de andere dag een feit. Uit de verhalen van de geïnterviewden bleek dat afscheid nemen op zeer korte termijn verre van ideaal is. Voor de beginperiode in een dergelijke situatie is de uitdrukking 'met je ziel onder je arm lopen' wel de beste omschrijving.

Langzaam afbouwen werkt

'Zomaar dingen doen op een gewone doordeweekse dag', klonk het vaak. Is het dan zo bijzonder om op dinsdagmiddag naar de markt te gaan? Voor veel mensen is dit inderdaad het geval. Niet om de markt zelf, maar om het gevoel van vrijheid. Van de ene op de andere dag beschik je over de luxe zelf je dagen in te kunnen delen. Een geweldig gevoel, maar vaak ook zo ongewoon dat je daar eerst je draai in moet zien te vinden. Wie in de gelegenheid werd gesteld om langzaam af te bouwen, ervoer dit als erg positief. Geleidelijk minder uren werken schept ruimte om te wennen aan een andere leefsituatie. Ook voor de eventuele partner is dit prettig. Wie ter voorbereiding één of twee dagen per week minder werkt, kan vast wat activiteiten opbouwen en nieuwe contacten opdoen.

'Langzaam afbouwen, als het mogelijk is.
De PIZ-cursus raad ik iedereen aan, heel leerzaam.
Laat je goed voorlichten over wat je te wachten staat.'

Ook de conditie speelt mee

Heerlijk als je fit en ontspannen de overstap kunt maken naar een nieuwe fase in je leven. In de praktijk is dit niet altijd het geval. In de interviews kwamen situaties naar voren waarbij mensen soms wel een paar maanden nodig hadden om bij te komen. In de meeste gevallen ging het daarbij meer om mentale vermoeidheid dan om lichamelijke klachten. De werkdruk is in de loop der jaren op veel plaatsen behoorlijk toegenomen. Zelfs veel jongere werknemers moeten vaak op hun tenen lopen om mee te kunnen.

Bij senioren vormt niet het werk zelf, maar een te groot aantal uren in een te hoog tempo het grootste probleem. Ook het op een niet al te feestelijke manier afscheid nemen vreet energie. Eerst maar eens op krachten komen tijdens een ontspannen vakantie pakte bij veel geïnterviewden goed uit. Je neemt daarbij letterlijk overal afstand van, zodat je je met frisse moed en nieuwe energie kunt richten op de dingen die komen gaan.

De prepensioencursus

Enkele dagen op een luxe locatie met 'lotgenoten' bewust afscheid nemen van het werk is mogelijk via een prepensioencursus. De locaties liggen veelal buiten in de natuur en tussen de bedrijven door is er gelegenheid om te wandelen en te fietsen. Ook staan er interessante excursies op het programma. Op wat kanttekeningen na waren er veel positieve reacties te melden over deelname aan een dergelijke manier van voorbereiden. In veel gevallen was ook de partner van de partij, want ook voor hem of haar verandert er nogal wat. Tijdens de cursus wordt hieraan de nodige aandacht besteed. Normaal gesproken wordt een dergelijke cursus door de werkgever betaald, maar op eigen initiatief deelnemen kan ook.

Pensioen in Zicht/Een Nieuwe Toekomst ® (door heel Nederland)
Wandelend afscheid nemen (Zuid-Limburg)
Vaarwel werk, varend over IJssel, Nederrijn en het IJsselmeer
Er gaat een wereld voor je open (Turkije)
Week van de verwondering (Spa, België)
Prijzen: vanaf circa € 700,00
Cursusduur: 3 of 5 dagen aaneengesloten

Pensioen in Zicht/Een Nieuwe Toekomst ® (door heel Nederland)
Kunst en Cultuur (Gent, België)
Actief en sportief (La Roche, Belgische Ardennen)
Antwerpen, een stad ontdekken en beleven
De Belgische kust en de IJzer, uitwaaien en historie herbeleven.
Prijzen: vanaf circa € 1.000
Cursusduur: 5 dagen aaneengesloten

Pensioen in Zicht/Een Nieuwe Toekomst ®
De cursusdagen liggen verspreid over vier weken. De mogelijkheid
om over een wat langere periode met het onderwerp bezig te zijn wordt
als positief ervaren. Drie 'losse' cursusdagen worden gevolgd in
Amsterdam en drie aaneengesloten dagen in Egmond aan Zee.
Prijs: vanaf circa € 675,00
Cursusduur: 6 dagen, waarvan 3 aaneengesloten

Wat kunt u verwachten van een cursus

De cursussen zijn bestemd voor iedereen die op korte termijn stopt met werken, maar twee geïnterviewden gaven aan de cursus achteraf te hebben gevolgd. Er bestaan cursussen voor deelnemers met en zonder partner. Tijdens activiteiten en gesprekken komen onderwerpen aan bod als een positieve afsluiting, veranderingen die zich voordoen, tijdsbesteding, financiën, gezondheid, partner, omgeving en samenleving. Daarbij is ruimschoots de gelegenheid om ervaringen uit te wisselen met medecursisten. Vaak zijn deze afkomstig uit de meest uiteenlopende beroepsgroepen. Een geïnterviewde vertelde dat hij dat het boeienste had gevonden van de hele cursus. Veel deelnemers houden achteraf nog contact met elkaar.

Rond de laatste dag

Het behalen van een diploma, een huwelijk, kinderen krijgen, een nieuw huis betrekken: allemaal zaken waarbij de belangstelling van anderen niet kan worden gemist. Door het delen van ervaringen met de mensen om je heen krijgen dergelijke gebeurtenissen een plaats. Familie en vrienden leven met je mee, je wordt in het zonnetje gezet en tijdens de gesprekken komen ook ervaringen van anderen weer boven. Door de aandacht en de eventuele cadeaus voelt men zich gewaardeerd en gesterkt. Het is goed om belangrijke momenten in je leven te delen en afscheid nemen van het werk is zo'n moment. Een periode van vele jaren wordt afgesloten en een nieuwe start wordt gemaakt, waarbij werk niet langer de boventoon voert.

Stoppen met werken is een ingrijpende verandering waar vaak nogal nuchter over wordt gepraat, maar die in de regel toch als emotioneel wordt ervaren. Voor wie nog geen afscheid heeft genomen: geef die gevoelens de ruimte, pink een traan weg bij een hartelijk woord van een collega, schud handen en laat alle goede wensen als een warme douche over u heen komen. Mocht u het plan hebben om stilletjes via de achterdeur te vertrekken, laat dat idee dan varen. Een feestelijk en welgemeend afscheid is iets waarop men jarenlang met plezier terugkijkt en een mooie afsluiting van een periode vol lief en leed.

Er wordt heel wat af gezoend en uitgezwaaid

Tijdens de interviews vertelden veel mensen enthousiast over de uitgebreide aandacht die aan hun afscheid was besteed. In sommige gevallen was dat al jaren geleden, maar klonken de verhalen nog alsof het iets van gisteren was. Niet in alle gevallen is er sprake van een officieel afscheid. Voor 13 procent was er geen echt afscheid georganiseerd. Ruim de helft hiervan was eigen baas en stopte met het bedrijf. Een vutter vertelde dat hij na 42 jaar bij één en dezelfde baas simpelweg geen afscheid kreeg aangeboden. De overigen zagen zelf niets in feestelijkheden vanwege de slechte sfeer rond het vertrek. Van de 87 procent die wel een afscheid vierde, varieerden de activiteiten van een bescheiden etentje met collega's tot bijzonder uitgebreide recepties met speeches en grote cadeaus. Hoe minimaal of groots het afscheid was, had niet direct te maken met het soort werk dat men had gedaan. Uitzonderingen hierop zijn de officiële afscheidsrecepties en uitgebreide speeches die mensen met een hoge functie staan te wachten.

In het algemeen werden initiatieven van eigen collega's erg gewaardeerd. Ingestudeerde sketches, liederen en knutselwerken: je moet er van tevoren niet aan denken, maar op het moment zelf zijn ze hartverwarmend. Leuke verhalen kwamen ook uit de onderwijssector. Aan het afscheid van een juf, meester of schoolhoofd wordt over het algemeen veel werk besteed.

> *'Na 38 jaar bij dezelfde werkgever werd er uitgebreid aandacht besteed aan het afscheid. Op verzoek zijn er geen toespraken gehouden. Bij elkaar was het toch wel een emotioneel moment.'*

Niet te vroeg of te laat

Een afscheidsreceptie of feest op de laatste 'werkdag' is het meest ideaal. Je spullen zijn ingepakt, je bent nog eenmaal bij elkaar en na het zoenen en handenschudden kun je thuis heerlijk bijkomen van alle drukte en aandacht. Wie na een afscheid weer gaat werken blijft steeds opnieuw iedereen gedag zeggen en ook de vraag wanneer je nu echt voor het laatst bent moet steeds worden beantwoord. Ook een afscheid geruime tijd na de laatste werkdag kan wat vreemd uitpakken. Er is al wat afstand genomen van het werk en de collega's. Je loopt de kans er daardoor wat meer als een vreemde bij te staan. Dit laatste kan natuurlijk ook in je voordeel werken. Het afscheid is daardoor wellicht wat minder emotioneel.

In overleg

Surpriseparty's zijn in tegenwoordig, en heerlijk verwend worden zonder verdere kopzorgen kan prettig zijn. Aan de andere kant loop je met een afscheid in overleg minder het risico dat er belangrijke wensen over het hoofd worden gezien. Wie moeten er bijvoorbeeld worden uitgenodigd? Hoe liggen de familieverhoudingen? Wordt de voorkeur gegeven aan een officieel afscheid of vertrek je liever na een informeel en gezellig samenzijn? Is er voorkeur voor een bepaalde locatie? Stel je graag beperkingen aan het aantal afscheidswoordjes? Allemaal zaken die van belang zijn om er een geslaagd geheel van te maken. Niet dat alle spontane initiatieven hiermee moeten worden uitgesloten, maar het is goed in grote lijnen de plannen en de persoonlijke wensen op elkaar af te stemmen.

Ook de achterblijvers nemen afscheid

De aandacht rond een afscheid is voornamelijk gericht op de persoon die vertrekt en de achterblijvers doen hun best om er wat moois van te maken. Hoe de collega's tegen het vertrek aankijken, hangt natuurlijk erg af van de waardering die men al dan niet voor elkaar heeft. Vallen er dikke tranen, haalt men opgelucht adem, maakt het allemaal niet zo uit? Per situatie kunnen de gedachten en gevoelens rond een vertrek enorm verschillen. Is de sfeer goed en betreurt men oprecht het einde van een fijne samenwerking, dan is aandacht voor de achterblijvers zeker op zijn plaats. Maai ze niet al het gras voor de voeten weg door welgemeende initiatieven direct in de kiem te smoren. Het afscheid helemaal verbannen met de gedachte 'ik spreek ze allemaal later wel persoonlijk' komt in de praktijk vaak niet uit de verf. Afspraken om nog eens langs te komen blijven ergens hangen en daarbij ontvangt niet iedereen mensen van het werk graag in de privé-sfeer. Samen het glas heffen op een nieuwe toekomst biedt collega's en andere belangstellenden de gelegenheid om hun dank en hun beste wensen uit te spreken. Bij een beslissing over wel of niet afscheid vieren mag daar best rekening mee worden gehouden.

Voor degenen die iets organiseren of een speech afsteken is het aan te bevelen de welgemeende woorden zo mogelijk ook op schrift te overhandigen. De tekst kan dan later thuis in alle rust nog eens worden doorgelezen. Op de dag zelf zijn er zoveel indrukken te verwerken dat de hoofdpersoon vaak het een en ander ontgaat.

Afscheidswoordje als dank

Wie gezegend is met een vlotte babbel en regelmatig tot een groep spreekt, weet wat hem of haar te doen staat bij een afscheid. Vanuit hun ervaring zullen juist deze mensen zich vaak goed voorbereiden op een afscheidspraatje. Een korte terugblik, misschien wat persoonlijke hoogtepunten, een dankwoord aan alle betrokkenen en aan het bedrijf: weloverwogen worden dingen op papier gezet en ter voorbereiding een aantal malen opgelezen. Een prettig houvast als je in een ongewone situatie verkeert omdat je zelf het middelpunt bent. Wie er niet aan moet denken zelf het woord te voeren maar wel graag het een en ander kwijt wil, kan een ander vragen om namens hem of haar een dankwoordje te spreken. Dit kan een leidinggevende zijn maar ook een goede collega. Er is niets verplicht of voorgeschreven op dit gebied. Wie zelf graag het laatste woord heeft maar niet over al te veel sprekerstalent beschikt, moet maar denken: enkele spontaan uitgesproken dankregels van iemand die zichtbaar geëmotioneerd is door alle aandacht maken vaak de meeste indruk.

'Als je naar je werkplek teruggaat, dan zie je weer van alles wat niet in orde is.'

Als het afscheid gevoelig ligt

Niet altijd is de reden voor vertrek even glorieus en vaak stoppen mensen eerder met werken dan ze van plan waren. Een reorganisatie kan hiervan de oorzaak zijn, maar ook het in de ogen van anderen niet meer goed meekunnen kan een aanleiding zijn om de spullen te pakken. Een dergelijke situatie kan in de laatste maanden alsnog een schaduw werpen over het hele arbeidsverleden. Wie zich jarenlang een gewaardeerd werknemer heeft gevoeld, kan zich door problemen aan het eind van zijn of haar loopbaan ineens oud, overbodig en afgedankt voelen.

Eerder worden weggestuurd betekent in veel gevallen ook gezichtsverlies. Een welgemeend en bemoedigend afscheid waarbij de werknemer bedankt wordt voor zijn jarenlange inzet zet de situatie weer in een respectvol daglicht. Zijn er echt serieuze problemen rond het functioneren van iemand, dan zijn er ongetwijfeld wel persoonlijke positieve punten die de moeite waard zijn om te worden aangehaald. De laatste officiële woorden van een werkgever drukken een behoorlijke stempel op het afscheid en blijven lang hangen.

Een vertrek zonder afscheid

Is er vanuit het bedrijf weinig animo om iets te organiseren rond het afscheid, dan is dat erg jammer. Je kunt kwalijk gaan lopen leuren om een passend vertrek. Een leuke manier van uitzwaaien zit er dan gewoon niet in. Bij een vertrek met problemen bedankt de werknemer vaak zelf al bij voorbaat voor enige aandacht. Met kwaaie koppen bouw je geen feestje. Voor werknemers die al een tijdje uit de running zijn, schiet het afscheid er vaak ook bij in. Als je al een jaar thuis zit door bijvoorbeeld gezondheidsproblemen, ligt een verlaat afscheid niet zo voor de hand. Ondernemers die een eigen bedrijf overdoen of sluiten, hebben geen baas boven zich en organiseren voor zichzelf meestal geen afscheid. Bij overname ligt de grens tussen werken en niet werken vaak ook wat vaag, omdat men in de regel nog enige tijd betrokken blijft bij het bedrijf. De sluiting of overdracht van een eigen bedrijf wordt ook niet altijd als een feestelijke gebeurtenis ervaren. Iets wat met jarenlang hard werken is opgebouwd verdwijnt of gaat over in andere handen.

Zelf een feestje bouwen

Wordt het, om wat voor reden dan ook, bij de werkgever of het eigen bedrijf niets met het afscheid, dan hoeft de start van een nieuwe periode niet automatisch geruisloos te verlopen. Bewust afscheid nemen is belangrijk en dat kan op heel veel manieren. Een etentje met vrienden of familie, een heerlijk weekje vakantie, een dagje op stap met kinderen en/of kleinkinderen: het maakt niet uit wat er wordt georganiseerd. Is er een goede band met collega's dan kan van hen ook buiten het werk om afscheid worden genomen. Met elkaar even stilstaan bij de afsluiting van zoveel jaren samen is waar het om gaat. Afscheid nemen van je beroep, je werkplek en je collega's is geen alledaagse gebeurtenis die met wat nonchalante opmerkingen kan worden weggewuifd. Zijn er nog goede contacten met ex-collega's die eerder afscheid hebben genomen, dan is het misschien een goed idee om hen ook uit te nodigen. Niet alleen het afscheid, maar ook de nieuwe start krijgt dan ongetwijfeld alle aandacht.

Omschakelen kost tijd

Nadat alle aandacht rond het afscheid is weggeëbd en er misschien nog een leuke vakantie is gevierd, kan iedereen weer overgaan tot de orde van de dag. Voor de vutter of gepensioneerde is die orde niet direct helemaal duidelijk. Hij of zij staat als het ware even stil midden op een groot druk plein in een vreemde stad. Aan alle kanten passeren haastige voorbijgangers die zonder aarzelen op hun doel afgaan. Zelf sta je daar wat onwennig. Welke kant ga je op en wanneer? Na een paar dagen voel je je al wat meer thuis in je nieuwe omgeving en krijg je wat aanknopingspunten. Een paar weken later loop je zelf in een stevig tempo tussen de anderen en sta je hooguit nog even stil om achterom te kijken.

Geïnterviewden die tegen hun afscheid opzagen, waren tot hun verbazing binnen de kortste keren gewend aan een bestaan zonder werk. Andersom kwamen mensen die enthousiast van start gingen na enkele weken tot de verbijsterende ontdekking dat ze absoluut hun draai niet konden vinden. In totaal zag 75 procent de periode na hun laatste werkdag met veel vertrouwen tegemoet. Van hen vond 9 procent het in het begin toch tegenvallen. Heel erg somber werd de toekomst bij voorbaat ingezien door 8 procent. Toen het eenmaal zover was, had bijna niemand van deze groep het echt moeilijk. Van de overige 17 procent van de geïnterviewden varieerden de vooruitzichten van twijfelachtig tot 'niet zo van tevoren bij stilgestaan'. Voor al deze personen geldt dat ze zich vrij snel hebben aangepast aan hun nieuwe situatie.

Het duurt geen jaren

Over het merendeel van alle mensen die stoppen met werken kan worden gezegd dat ze zich binnen enkele maanden thuis goed op hun plaats voelen. In veel gevallen is dit zelfs al binnen één maand het geval. Het werk dat toch vaak jaren achtereen met veel aandacht en inzet werd uitgevoerd wordt uiteindelijk maar door 4 procent serieus gemist. Voor 18 procent geldt dat ze het werk af en toe missen. Wel 75 procent deelde mee het werk niet of zelfs absoluut niet te missen.

Waar ontbreekt het thuis aan

Eigen baas zijn, meer vrije tijd, niet meer vroeg op, geen files meer: de voordelen worden met enthousiasme genoemd, maar naast al die nieuwe verworvenheden vallen er ook dingen tegen. Het gemis aan contacten is het meest genoemde nadeel. Naast de collega's en de gezelligheid op het werk worden ook de zakelijke contacten gemist. Een paar geïnterviewden gaven aan dat ze de uitdaging van het werk misten. Ook werd door een enkeling het gemis aan een zinvolle invulling genoemd.

'Ik miste vooral de zakelijke contacten. Bij veel bedrijven kwam ik al jarenlang over de vloer.'

Wat wordt er vooral niet gemist

Het wegvallen van de werkdruk werd in heel veel gevallen genoemd als een verademing. Niet dat iedereen zijn werk als bijzonder stressvol had ervaren, maar het verschil werd duidelijk gevoeld. 'Soms merk je iets pas op als het voorbij is', vertelde een geïnterviewde, en dit is voor meer mensen van toepassing. Wel veertig procent gaf aan zich duidelijk meer ontspannen te voelen na het afscheid. Veel mensen die een reorganisatie hebben meegemaakt, noemen ook de slechte sfeer als iets dat ze vooral niet missen. Verder kwamen onderwerpen aan de orde als het vroege opstaan in de winter, het in de file staan, het vergaderen, de verantwoording en het leidinggeven.

Een veelgehoorde 'klacht'

De dagen glippen door je handen en intussen heb je het druk met van alles en nog wat. Voorgenomen klussen zijn soms na weken nog niet uitgevoerd en je lijkt overal langer over te doen. Soms deden vutters en gepensioneerden twee keer zoveel in en om het huis toen ze er nog een volledige dagtaak bij hadden. Nu men alle tijd heeft worden zaken eerder uitgesteld, ligt het werktempo lager en komt er van alles tussendoor. Voor het afscheid liggen er vaak behoorlijk wat plannen op tafel. De buitenboel schilderen, behangen, de tuin een grote beurt geven; allemaal zaken die uiteindelijk wel worden uitgevoerd, maar vaak in een veel lager tempo dan gepland.

'Veel losse bezigheden kunnen een chaotisch gevoel geven. Zorg voor structuur, de dagen glippen door je handen.'

Niet vooruit te branden

Een aantal geïnterviewden deed in de eerste weken na het afscheid voornamelijk niets. De activiteiten bestonden hooguit uit wat simpele bezigheden als koffiedrinken, een beetje lezen, televisie kijken en af en toe een boodschapje.

Soms tot wanhoop van de partners: in lengte van dagen zagen zij zich al opgescheept met een soort verouderde hangjongeren. Verschillende oorzaken van het gebrek aan initiatief werden genoemd, waaronder uitrusten van alles, je draai vinden, niemand die je zegt wat je moet doen en een gebrek aan zinnige bezigheden. Het nietsdoen was overal van tijdelijke aard. Gewoon een kwestie van bijkomen en omschakelen. Zo heel vreemd is dat niet als je veertig jaar een heel ander leven hebt geleid. Zowel lichamelijk als geestelijk moet een nieuw ritme worden gevonden en de tijd die daarvoor nodig is, ligt voor iedereen weer anders. Gun uzelf die tijd en voel u niet schuldig als u zomaar een hele dag heerlijk zit te lezen. Opgegroeid met uitspraken als 'ledigheid is des duivels oorkussen' en 'je verleest je verstand' hebben veel senioren de neiging zich alsmaar nuttig te maken. Mocht u daaraan lijden: als het goed is heeft u daar straks nog jaren de tijd voor.

'Begin met de aanschaf van een agenda, het wordt druk!'

Overactief

Ook een tegenovergestelde reactie doet zich voor. Uit puur enthousiasme, maar ook wel uit angst om in een gat te vallen, stort men zich met grote ijver op iedere denkbare bezigheid. Familie en vrienden worden met van alles en nog wat bijgestaan. Taken in verenigingen worden fluitend aanvaard en hele interieurs worden op hun kop gezet. Voor de argeloze vutter of gepensioneerde het in de gaten heeft, zijn de dagen tot de nok toe gevuld met bezigheden en is een weg terug nog maar moeilijk te vinden. Thuis zijn lijkt helemaal niet meer op het prettige vooruitzicht dat hij of zij in gedachten had. De vrijheid en de rust zijn ver te zoeken en er lijkt geen eind te komen aan de reeks verplichtingen.

Wie enthousiast, actief en daarbij ook nog eens sociaal van aard is, doet er goed aan zich al voor het afscheid het gezegde 'Bezint eer gij begint' in het hoofd te prenten. Meerdere geïnterviewden merkten op dat het moeilijk is om thuis baas te blijven over je eigen tijd. Voor je het weet, ben je degene die voor iedereen wel even een paar uurtjes over heeft en overal wel raad op weet. Loop uzelf niet voorbij. Ren niet weg voor het feit dat alles in de beginperiode nog wat ontheemd aanvoelt. Af en toe pas op de plaats is nodig om te ontdekken waaraan u nu eigenlijk echt behoefte heeft en op welke manier u daar invulling aan wilt geven.

Eerst op vakantie?

Aansluitend op het afscheid een leuke vakantie boeken wordt door veel mensen als erg plezierig ervaren. Je neemt met wat meer gemak afstand van je werk en even helemaal eruit is een ontspannen manier om op adem te komen. Ga je samen met de partner, dan is er ook alle gelegenheid om van gedachten te wisselen over de nieuwe periode die je samen ingaat. Eenmaal weer thuis zul je net als ieder ander alsnog zelf je draai moeten vinden, maar een goed begin is vast het halve werk. Een bijkomend voordeel is dat je tijdens een vakantie vaak weer snel de gewoonte oppakt om leuke dingen te gaan doen en te genieten van de buitenlucht.

Even langs op het werk

Wanneer breekt de juiste dag aan om je ex-collega's weer eens op te zoeken? Veel mensen vragen zich achteraf af of er wel zo'n juiste dag bestaat. Wie vrolijk op de fiets stapt om koffie te drinken en even bij te praten op de oude werkplek moet ernstig rekening houden met een stevige desillusie. Uiteraard is dit niet overal zo, maar deze ervaring kwam tijdens de interviews veelvuldig aan de orde. Je wordt enthousiast begroet, je krijgt wat te drinken voorgezet en er wordt belangstellend geïnformeerd hoe het met je gaat. Daarna kijkt men al gauw op de klok met een: 'Nou Jan, dat was leuk, maar we moeten weer verder hier.' Zelfs al is de belangstelling hartelijk en gemeend, je hoort er eenvoudigweg niet meer bij. De werkenden verkeren in een ander land waar je hooguit even op bezoek bent.

Van de geïnterviewden ging 56 procent helemaal niet of hooguit één of twee keer langs op de werkplek. Bij een gedeelte van degenen die niet gingen, kwam dit omdat de werkplek niet meer bestond. Na het beëindigen van een bedrijf of na het opheffen van een afdeling is er gewoonweg niets meer om te bezoeken. Enkele geïnterviewden vertelden dat ze niet gingen omdat ze er vroeger zelf een hekel aan hadden als er 'oudjes' kwamen buurten. Van alle geïnterviewden heeft nog 37 procent contact met het werk. Daaronder zijn ook mensen die al jaren thuis zijn. Daarbij gaat het meestal niet zozeer om een bezoek aan de eigen afdeling, maar om deelname aan jaarlijkse bedrijfsuitjes of speciale evenementen voor ex-werknemers. Ook recepties van jubilerende of uitzwaaiende ex-collega's worden met regelmaat bezocht. Voor 7 procent geldt dat ze nog zeer regelmatig op de werkplek komen. In bijna alle gevallen is er dan sprake van een taak die daar al dan niet als vrijwilliger wordt uitgevoerd. Een enkeling heeft echt een blijvende band met de werkplek en de ex-collega's en kan met een gerust hart regelmatig gaan buurten. Het animo komt in een dergelijke situatie wel altijd van twee kanten.

Contact met ex-collega's

Het feit dat men niet meer op de werkplek komt, houdt niet automatisch in dat er al heel snel geen contact meer is met de ex-collega's. Dit geldt maar voor 18 procent van alle geïnterviewden. Voor 59 procent geldt dat ze elkaar met enige regelmaat blijven ontmoeten, vaak ook nog jaren na het afscheid. Van 23 procent kan gezegd worden dat er nog váák contact is met ex-collega's.

Ook hierbij is de periode dat men thuis is niet doorslaggevend. Soms komen de contacten voort uit een gezamenlijke hobby of sportclub via het bedrijf: stoppen met werken betekent niet dat je automatisch de tennis- of kaartclub verlaat. Echte vriendschappen die op het werk ontstaan, houden daarbuiten meestal wel stand. Of het om een dergelijke vriendschap gaat, blijkt echter pas achteraf. Soms lijken collega's jarenlang onafscheidelijk, maar is het werk zélf de meest bindende factor. Als deze gezamenlijke interesse wegvalt, blijven er te weinig aanknopingspunten over om het contact aan te houden.

Zomer- of winterstop

Het is niet altijd zo in te plannen, maar stoppen tijdens een stralende voor-jaarsdag voelt heel anders dan je collega's vaarwel zeggen tijdens de donkere wintermaanden. Bij mooi weer ga je er eerder op uit, zie je meer mensen op straat, bestaat er minder kans op sombere buien en lijkt de hele atmosfeer meer ingesteld op genieten. Met genoegen kun je op een terrasje aan je ex-collega's denken, die nog tot hun spaarzame vakantiedagen moeten doorploeteren. Tegen de tijd dat het winter wordt, ben je meestal al redelijk ingesteld op een bestaan zonder werk. Voor sommige mensen geldt echter dat ze dan alsnog een peri-ode van gewenning door moeten. Er is buiten weinig meer te klussen aan huis of tuin, fiets- en wandeltochten worden beperkt, de caravan staat weer op stal en binnen zit je toch niet zo lekker lui als buiten in de zon. Alles lijkt zich achter gesloten deuren af te spelen en de dagen worden korter, maar lijken langer. Voor wie in een winterdip dreigt te raken kan een onderbreking in de vorm van een weekje zon verlichting bieden. Vakantiedagen hoef je niet meer aan te vragen en dat biedt meer mogelijkheden om te profiteren van een voor-delige last-minutevakantie.

'Als ik niet meer werk, sta ik nooit meer in het donker op, dacht ik altijd. Het is me niet gelukt. Ik kan gewoon niet meer uitslapen.'

Een ander ritme

De mens is een gewoontedier en gedijt het best bij een bepaalde vorm van regelmaat. Slapen, opstaan, eten, inspanning, ontspanning en allerlei andere zaken herhalen we vaak in een vast patroon en automatisch krijgen we een signaal als het ergens tijd voor is. Er is behoefte aan iets en daardoor komen we in actie. Onze biologische klok zorgt ervoor dat we op het juiste moment over de juiste energie of aandacht beschikken om in die behoefte te voorzien. Allerlei processen zoals een slaperig gevoel, een gezonde eetlust, de werking van de organen, de lichaamstemperatuur en de hersenactiviteit worden aangestuurd door een ingebouwd tijdmechanisme. Wie met regel-maat werkt en daar ineens mee stopt, zal merken dat die klok zich niet binnen enkele dagen aanpast. Veel mensen die veertig jaar lang door de week om half zeven opstonden, blijven dat vaak ook nog doen als het helemaal niet meer nodig is. Wie gewend is om na het ontbijt de deur uit te gaan en in de auto te stappen kan zich wekenlang ongedurig voelen als dit ineens ophoudt. Ook al denk je op zo'n moment dat het geweldig is om thuis te zijn, dan nog blijft er een zekere onrust bestaan. Er lijkt iets niet te kloppen. Hetzelfde geldt voor de dagelijkse portie actie waaraan we gewend zijn. Wanneer dit erg extreem is, kan een plotselinge verandering nare klachten veroorzaken. Mensen met een heel drukke baan die op vakantie gaan overkomt dit nogal eens. De eerste dagen voelen ze zich verre van prettig en krijgen ze te maken met klachten als hyperventilatie, hoofdpijn, nervositeit en hartkloppingen. De omschakeling is te groot voor het toch al vermoeide lichaam. Alles staat nog ingesteld op actie en luieren lukt niet. Bij de meeste mensen die stoppen met werken is een dergelijke stressvolle overgang gelukkig niet aan de orde. Wel vertelden veel geïnterviewden dat ze in het begin opnieuw hun ritme moesten zien te vinden. Wat vaste punten in de week kunnen daarbij helpen. Verder is het vaak gewoon een kwestie van tijd waarin de oude gewoonten moeten slijten en de nieuwe activiteiten een plaatsje moeten krijgen.

Stuurloos

Je staat er niet dagelijks bij stil maar wie werkt, is een groot deel van de dag bezig met het uitvoeren van de wensen van anderen. Niet alleen werknemers, maar ook mensen met een eigen onderneming ervaren dit zo. Er is dagelijks een bepaalde hoeveelheid werk te verzetten en daarbij moeten de nodige afspraken worden nagekomen. Van zo laat tot zo laat ben je daar en daar en doe je dit en dat en wel op zus of zo'n manier. Praktisch niemand denkt daar dagelijks over na, maar bij het wegvallen van deze structuur verandert er ineens veel: u bepaalt voortaan zelf uw tijden, u maakt zelf uit waar u gaat of staat en uw bezigheden komen voort uit eigen initiatief. Heel fijn, maar in het begin vaak behoorlijk onwennig. De dagen verlopen niet meer volgens een vertrouwd patroon en iedere dag weer moet je zelf bepalen hoe je je vrije uren gaat indelen. Niet iedereen heeft hier problemen mee. Wie initiatiefrijk is en graag zelfstandig dingen onderneemt, heeft geen stok achter de deur nodig maar moet zichzelf eerder beschermen tegen al te veel actie. Wie wat moeizaam op gang komt, niet helemaal lekker in zijn vel zit en de neiging heeft dingen uit te stellen komt tot weinig en dreigt te verzanden.

De gulden middenweg vinden duurt soms even. Vaste afspraken bieden daarbij houvast. Het maakt daarbij niet uit of u iets met uzelf of met anderen afspreekt. Door een paar activiteiten in de agenda te noteren, creëert u meer rust. Neem de tijd om te ontdekken bij wat voor soort invulling van uw dagen u het best gedijt. Blijf kapitein op uw eigen schip en probeer daarbij zoveel mogelijk het roer in eigen handen te houden.

In goede gezondheid of anders

Na de laatste werkdag en het afscheid breekt een periode aan waarin meer tijd beschikbaar komt om van het leven te genieten. Een goede reden om uw gezondheid eens onder de loep te nemen. Ook als u geen klachten heeft, is dit verstandig want van zaken als een hoge bloeddruk of een hoog cholesterolgehalte merkt u niets. Een tijdige signalering van eventuele mankementen vergroot direct uw kans om nog jarenlang actief en zelfstandig te blijven. Ook een goede conditie draagt daaraan bij. Hoe is het met die van u gesteld? Beschikt u nog over de uitzinnige energie om een alp te beklimmen en een verdwaalde geranium te plukken of wordt u al moe als de planten in de vensterbank om water vragen? De kans is groot dat uw antwoord ergens in het midden ligt. Veel mensen van zestig jaar en ouder zijn nog relatief gezond, maar echte topprestaties worden meestal niet meer geleverd.

Gezond blijven staat vaak boven aan het lijstje met wensen voor de toekomst. Een zelfstandig en actief leven leiden tot op hoge leeftijd wordt door velen als ideaal gezien. Jammer genoeg hebben we dit niet altijd zelf in de hand. Gezond genieten van de oude dag is niet voor iedereen weggelegd en voor sommigen dienen de problemen zich al aan voor het afscheid.

'Carpe diem: geniet van iedere dag die je hebt.'

De start van 'meneer Jansen'

Het is nog wat bijkomen van alle drukte rond het afscheid, maar verder voelt Jansen zich uitstekend. De werkdruk was behoorlijk de laatste tijd, maar een recente sportkeuring gaf een keurige bloeddruk aan. Ook op alle andere punten was de score ruim voldoende, alleen het cholesterolgehalte was wat aan de hoge kant. De vaak wat Bourgondische eetgewoonten werden na deze melding aan banden gelegd. Recente omstandigheden in de vriendenkring hadden Jansen nog eens met zijn neus op de feiten gedrukt: een goede gezondheid op je zestigste is niet voor iedereen weggelegd. Iets om zuinig op te zijn dus.

Een startsituatie zoals die van meneer Jansen is gelukkig voor veel mensen weggelegd. De kleine mankementen worden daarbij op de koop toe genomen. Iedereen om je heen wordt tenslotte een dagje ouder. De aanschaf van een eerste leesbril, de haarverf met extra grijsdekking, het soms wat strammer opstaan uit bed en een wat slechter gehoor: echte rampen zijn het niet en er valt prima mee te leven.

De start van 'meneer Pietersen'

Gezond en wel zit meneer Pietersen achter zijn bureau met nog ruim vier werkjaren voor de boeg. Over de eindstreep denkt hij nog niet na. Het afwisselende werk bevalt hem prima en hij heeft echt een fijn stel collega's. Een maand later zit Pietersen definitief thuis. Een lichte beroerte trof hem als een donderslag bij heldere hemel. In grote lijnen valt de schade mee en met revalidatie is veel mogelijk, maar door concentratieproblemen is werken er niet bij.

Wie op deze manier een definitieve punt moet zetten achter zijn of haar loopbaan is niet te benijden. Een feestelijk begin van een nieuwe levensfase zit er niet meer in. Eerder stoppen dan gepland door een haperende gezondheid heeft meer weg van een valse start. De goedbedoelde bloemen, kaarten en opmerkingen als 'Je zou over een paar jaar toch al stoppen', zijn daarbij een wat wrange troost. Van de ene op de andere dag word je gedwongen je leven anders in te richten en dat ook nog eens in combinatie met (tijdelijke) beperkingen vanwege je gezondheid.

'De laatste jaren stonden door reorganisatie aldoor in het teken van vertrek. Maatregelen die werden genomen waren vooral bedoeld om me weg te krijgen. De gespannen situatie op mijn werk kon ik uiteindelijk niet meer aan. Toen ik met vijfenvijftig een vertrekregeling aanvaardde, was ik lichamelijk en geestelijk helemaal op. Ik heb lange tijd nodig gehad om bij te komen. Mijn huisarts heeft me uiteindelijk op de fiets gezet en vanaf toen ging het een stuk beter. Wees niet bang dat je je gaat vervelen, er is heel veel te doen.'

Preventie

Zelfs al zouden we vanaf onze geboorte constant met onze gezondheid bezig zijn, dan nog gaf dit geen garantie op eeuwige voorspoed. Wel kunnen we door preventieve maatregelen de kans om ziek te worden aanzienlijk verkleinen. Op verschillende fronten kunnen we ons wapenen tegen een al te snelle en vaak onnodige aftakeling. Veel senioren zijn zich hier terdege van bewust en passen in de loop der jaren hun levensstijl aan, om zolang mogelijk te blijven genieten. De manier waarop zij dat doen, varieert nogal. Misschien omdat de middelen en methoden die we krijgen aangereikt zo divers zijn: uit alle windstreken lijken deze te zijn overgewaaid. De informatie over gezondheid beperkt zich in dit hoofdstuk tot de belangrijkste aandachtspunten en de bijbehorende oplossingen.

Eerst enkele feiten

Volgens cijfers van het CBS over de algemene gezondheidsbeleving in 2003 voelt bijna 75 procent van de 45-plussers zich zeer goed tot goed. Bij een leeftijd van 65 jaar en hoger geldt dit voor bijna 60 procent. Opmerkelijk daarbij is dat de gezondheidsbeleving beter is naarmate men een hogere opleiding heeft genoten. In een eerder landelijk onderzoek meldt 5 procent van de 45-plussers over een echt slechte gezondheid te beschikken.

'Kijk niet naar de mankementen, maar naar alles wat je nog wel kunt.'

Periodieke gezondheidscontrole

Een auto die nog prima rijdt, kan ongemerkt het een en ander mankeren. De jaarlijkse APK-keuring brengt in dat geval de gebreken aan het licht, zodat we weer veilig verder kunnen. Een jaarlijkse 'APK-keuring' voor senioren is niet verplicht, maar zeker net zo nuttig. Wees niet bezorgd dat uw huisarts u een aansteller vindt als u zonder directe klachten een afspraak maakt. Laat u ook niet weerhouden door de gedachten, dat hij het al zo druk heeft en dat anderen zijn aandacht harder nodig hebben. Preventief onderzoek brengt zaken aan het licht die vaak nog met een normaal recept of gesprek te verhelpen zijn en dat bespaart een hoop narigheid.

In sommige delen van ons land kan men voor een controle bij de Thuiszorg terecht. Thuiszorg Groot Rijnland bijvoorbeeld biedt onder de naam 'Periodieke Controle Gezondheid Senioren' een regelmatige controle aan van de algehele gezondheid. Tijdens een gesprek met een wijkverpleegkundige wordt onder meer aandacht besteed aan psychosociale zaken, gezondheidsconditie, levensstijl en gezondheidsrisico's zoals overgewicht, hoge bloeddruk, voedingsgewoonten en beweging. De gezondheidscontroles worden gehouden in de wijkgebouwen van de Thuiszorg en zijn bedoeld voor senioren vanaf zestig jaar.

Ook de ziektekostenverzekeringen zijn een groot voorstander van preventieve maatregelen. Dit levert in het totaalplaatje een flinke besparing op. De kosten van een normale basiscontrole waarin zaken als cholesterolgehalte, bloeddruk en bloedsuikerspiegel aan de orde komen, worden daarom normaal gesproken vergoed. Informeer bij uw verzekering naar de mogelijkheden. Vaak zijn er ook uitgebreide sportcontroles mogelijk met een flinke reductie. Er bestaan ook kortingen voor diverse sportactiviteiten.

Bewegen

Bijna 60 procent van alle geïnterviewden gaf aan regelmatig iets aan beweging te doen. Wandelen en fietsen zijn het populairst. Rond de 55 procent is hier vrij actief mee bezig. Soms dienen deze activiteiten gewoon als een soort tijdverdrijf, maar in de meeste gevallen is de motivatie om in beweging te blijven erg groot. Bij elkaar worden er forse afstanden afgelegd, al dan niet in fiets- of wandelclubs. Zwemmen is ook tot op hoge leeftijd een prima manier van bewegen. Verder worden ook sporten als tennis, golf, handbal en volleybal genoemd. Een enkeling staat nog fanatiek op de schaats. Fitness, al dan niet onder begeleiding, is ook een gewaardeerde manier om de conditie op peil te houden. In het hoofdstuk 'In beweging blijven loont' vindt u uitgebreide informatie over het hoe en waarom van voldoende bewegen.

Wat zullen we eten vandaag?

Rond 1950 wordt nog op schrift gemeld dat de tekorten aan vet bij magere vis wel worden goedgemaakt door de boter of margarine bij de bereiding. Inmiddels zijn de inzichten behoorlijk veranderd, maar in de tussentijd slikten we braaf onze levertraan, werden we met melk meer mans en aten we brood, want daar zat wat in. In de loop der jaren werd het vet in de ban gedaan en leerden we omgaan met de schijf van vijf. Vanaf onze prille kinderjaren hebben we zo een heel scala aan vaak nogal uiteenlopende voedingsadviezen de revue zien passeren. Soms was deze voorlichting gebaseerd op nieuwe medische inzichten en echt in het belang van onze gezondheid. Jammer genoeg speelden vaak ook economische belangen een rol in de diverse aanprijzingen. Tegenwoordig 'genieten' we dagelijks van een stroom aan informatie via televisie, radio, internet, kranten, tijdschriften en verpakkingen op producten. In hoeverre kunnen we daarop vertrouwen en wat hebben we nu wel of niet nodig om gezond te blijven?

'In achttien jaar heb ik me nog nooit verveeld. Eet gezond en geniet.'

Wat is wijsheid?

Een gevarieerd menu is een goed uitgangspunt. De kans op tekorten wordt daarmee direct gereduceerd. De adviezen over meervoudig onverzadigde vetzuren, voedingsvezels en voldoende groente en fruit hebben inmiddels hun waarde wel bewezen. Vetten zijn daarbij weer opgewaardeerd tot een onmisbaar onderdeel van onze voeding. Dit moeten dan wel gezonde vetten zijn uit bijvoorbeeld olijven of vette vis.

'Overdaad schaadt' is een oud gezegde, maar nog steeds van toepassing. Ons lichaam geeft duidelijke waarschuwingssignalen af als we te veel of verkeerd eten. De gevolgen zijn meestal direct voelbaar. Een al te volle maag is oncomfortabel en de gemoedstoestand na het eten van een zak drop is ook niet je van het. We weten inmiddels ook allemaal best dat gebak, chips, bitterballen en ijsjes niet echt een bijdrage leveren aan onze gezondheid, maar door af en toe een keer te zondigen lopen we niet direct ernstig gevaar.

Niet ieders gezondheid laat het toe om met enige regelmaat de voedingstouwtjes te laten vieren. Bij aandoeningen als bijvoorbeeld suikerziekte, een te hoog cholesterolgehalte of ernstig overgewicht zal het menu strengere eisen stellen. Een voorgeschreven dieet via de huisarts of diëtiste moet dan zeker serieus genomen worden. Creatief aan de slag om met alle beperking toch een heerlijke maaltijd op tafel te zetten is dan de enige oplossing. Gelukkig bieden de winkels tegenwoordig een zeer uitgebreid aanbod aan voedingswaren. Daarbij blijft het wel een kunst om op het rechte (winkel)pad te blijven en met de juiste producten langs de kassa te komen.

Gewichtsproblemen

Stoppen met werken zorgt in de meeste gevallen niet direct voor een sterke gewichtstoename. Wanneer dit wel het geval is, dan komt dit vaak door een uitbreiding van het aantal gezelligheidsmomenten. Daar staat tegenover dat mensen die werken ook met regelmaat in de verleiding worden gebracht door zakenlunches, recepties en het rondje gebak bij verjaardagen.

Overgewicht vormt inmiddels in veel landen een ernstige bedreiging voor de volksgezondheid. Met diverse campagnes wordt daarover regelmatig voorlichting gegeven en mensen die willen afvallen, vinden via allerlei wegen uitgebreide informatie. Het maakt de mensen bewuster en de motivatie om iets aan het overgewicht te doen neemt toe, maar afvallen wordt er niet eenvoudiger door.

'Het eerste jaar maakte ik vaak iets extra's met eten, ik kwam daardoor aan.'

Overgewicht is vaak een terugkerend en hardnekkig probleem met alle gevolgen van dien. Onvrede over het uiterlijk, een onaangenaam hongergevoel, gezondheidsproblemen en daarbij ook nog eens de minachtende blikken en het onbegrip van anderen zetten een aardige domper op het bestaan van zwaarlijvigen. Afvallen is moeilijk en de verleiding ligt tegenwoordig overal op de loer. Wie met een lege maag op een groot station de trein uitstapt, moet wel over een ijzeren zelfbeheersing beschikken om ongestraft langs al die geurige 'koek-en-zopie-tenten' de uitgang te bereiken. Ook bij de dagelijkse boodschappen worden we via kleurige verpakkingen aangespoord om ons toch vooral gezellig, Bourgondisch, gastvrij of op wat voor manier dan ook te buiten te gaan. Geven we daar te veel aan toe dan kunnen we in diezelfde winkels ook weer terecht voor de nodige afslankproducten en afslankmaaltijden. Een schrale troost.

Afvallen

Er zijn legio methoden en middelen om overgewicht te bestrijden: speciale diëten, naar de huisarts of diëtiste, via internet op zoek naar informatie, contact maken met lotgenoten, maaltijdvervangers, acupunctuur, homeopathie, cursusboeken, een trainingsprogramma, verandering van eetpatroon, yoga en ga zo maar door. De kunst is om uit al die mogelijkheden een verantwoorde manier van afvallen te vinden die bij u past en die u vol kunt houden zonder steeds terug te vallen. Vraag uw huisarts om advies als u zich afvraagt of een bepaald middel of dieet gezondheidsrisico's met zich meebrengt.

Voedingssupplementen

In advertenties lezen we steeds vaker met klem uitgesproken adviezen over het gebruik van voedingssupplementen. Knoflookdragees, stuifmeelpollen, zeewier en allerlei al dan niet natuurlijke middelen worden ons in vele soorten en maten aangeboden. De doelgroep 50-plus ligt daarbij hevig in de aandachtslinie. Middelen tegen overgangsklachten, hoge bloeddruk, botontkalking, trage stoelgang, prostaatklachten, haaruitval, pigmentvlekken, gewrichtsklachten, rimpels, zwaarmoedigheid, concentratieproblemen, nachtblindheid, slapeloosheid, overgewicht en spataderen worden ons vol overtuiging aangeprezen in de al dan niet door de adverteerders gefinancierde gezondheidsblaadjes. Je vraagt je af hoe groot een medicijnkastje zou moeten zijn als we al deze dringende adviezen zouden opvolgen.

> *'Ik had zelfs nog nooit een ei gekookt! Na het overlijden van mijn vrouw heb ik me dat zelf aangeleerd. Ik kook nu van alles, ook Indonesisch en bijvoorbeeld pasta's.'*

Wat hebben we nodig?

Om te beginnen kunnen we een kritische blik werpen op onze basisvoeding. Een groot en gevarieerd aantal winkels biedt ons bij elkaar een enorm scala aan producten uit binnen- en buitenland. Het moet toch mogelijk zijn met een dergelijk aanbod een maaltijd samen te stellen die ons voorziet van de benodigde voedingsstoffen? Het antwoord hierop is zeker positief, alleen eten maar weinig mensen precies wat ze nodig hebben. Lekker makkelijk doen door gebrek aan tijd is vaak een reden om maar snel wat te grijpen. Met een krappe beurs ligt het ook best lastig. Karbonaden en boterhamworst zijn nu eenmaal een stuk goedkoper dan mager rundvlees en rosbief. Ook zorgen de diverse sociale momenten er geregeld voor dat we anders eten dan we ons hadden voorgenomen. Wat doe je als je dochter trots een zelfgebakken appeltaart presenteert? Hoe sterk sta je in je schoenen tijdens een etentje bij vrienden, een gezellige barbecue of een luxe 'high tea'? Zelfs de schijf van vijf als placemat zou ons niet weerhouden om van al dat heerlijks te genieten.

Extra risico van een tekort

Gezond en gevarieerd eten is al een probleem op zich, maar wie zich in de volgende opsomming kan herkennen loopt daarbij nog een extra risico:

Rokers hebben extra behoefte aan vitamine C. Te veel alcohol kan leiden tot onder andere gebrek aan B-1 en B-6. Langdurig medicijngebruik veroorzaakt soms ook tekorten. Het eetpatroon van topsporters vraagt regelmatig om aanvulling. Dit geldt ook voor mensen met een streng dieet. Veel ouderen hebben een tekort aan B-12. Dit geldt ook voor macrobioten, veganisten en maagpatiënten. Wie niet buitenkomt, ontwikkelt een tekort aan vitamine D.

Bij elkaar zomaar wat voorbeelden en u zult begrijpen dat alleen al door dit rijtje heel wat extra vitamines moeten worden aangedragen.

Als het beter kan

Voelt u zich regelmatig moe, down, futloos, kortademig, nerveus, ongeconcentreerd, verward, duizelig of op een andere manier verre van optimaal, blijf hier dan niet mee rondlopen. De ouderdom komt met gebreken, maar soms zijn deze op te lossen met een simpele aanvulling. Neem bij aanhoudende klachten contact op met uw huisarts. Misschien komt u inderdaad iets tekort en zo niet, dan moet er toch een andere oorzaak zijn aan te wijzen.

'Kijk uit, voor je het weet krijg je problemen met alcohol!
In het begin lijkt het iedere dag zondag.'

Alcohol

Enkele geïnterviewden vertelden dat zij binnen een paar maanden na hun laatste werkdag geconfronteerd werden met een serieus alcoholprobleem. Ongemerkt was men meer gaan drinken en de oorzaken daarvan waren wel aan te geven:

- thuis lijkt het iedere dag wel zondag
- je hoeft niet meer onverwachts op pad voor je werk
- je zit uren gezellig met bezoek in de tuin
- je staat later op en gaat later naar bed, 's avonds drink je meer
- het vrijwilligerswerk bij de biljartvereniging is ontzettend gezellig
- je kunt toch uitslapen

Geluiden uit de praktijk laten duidelijk horen dat een vrij en werkeloos bestaan meer gelegenheid biedt om een biertje, een wijntje of een andere alcoholische drank te nuttigen. Het risico van een stevig drankprobleem ligt daarbij stilletjes op de loer. Bijna één op de vijf alcoholverslaafden is 55-plusser. Tussen 1994 en 2004 klopten vijfduizend senioren met een alcoholprobleem aan bij de hulpverlening. Volgens informatie van het Consultatiebureau voor Alcohol en Drugs (CAD) zijn met name alleenstaande mannen een kwetsbare groep. Achter je eigen voordeur is er niemand die zich stoort aan je gedrag of zich oprecht zorgen om je maakt en je attendeert op een insluipend drankprobleem.

Zoek hulp als u een overmatig alcoholgebruik niet meer op eigen kracht kunt terugdraaien. Houd uzelf niet steeds voor de gek door te doen of het probleem niet bestaat. Dit is alleen maar waar als u ook zonder drank kunt. Misschien is er meer aan de hand en drinkt u helemaal niet puur voor de gezelligheid maar omdat u eenzaam bent en de regelmaat en het sociale contact van uw werk mist. Probeer over uw probleem te praten. Professionele hulpverleners begrijpen wat u doormaakt en u bent bepaald niet de enige wie dit overkomt. Praat desnoods per telefoon. Het onder ogen zien en benoemen van het probleem is vast een eerste stap in de goede richting. Het is tegenwoordig ook mogelijk om via internet hulp te krijgen. Wilt u hulp via een speciale kliniek, dan kan de huisarts u doorverwijzen.

'Na veertig jaar ben ik gestopt met roken. Ik voel me nu een stuk fitter.'

Roken

Stoppen op mijn leeftijd? Daar ga ik echt niet meer aan beginnen. De sigarettenfabrikanten wrijven in hun handen bij het horen van dergelijke uitspraken. Ook het fabeltje dat het ouderen nauwelijks lukt om met roken te stoppen zullen ze niet graag tegenspreken. Als u rookt, wordt er namelijk flink aan u verdiend en van de schadelijke gevolgen bij 'roker x' lijkt niemand wakker te liggen. Wie rookt, zal met name de laatste jaren hebben ervaren dat niet iedereen deze van de indianen afkomstige gewoonte toejuicht. In openbare ruimten en in bedrijven is het roken niet meer toegestaan, op stations speelt het roken zich af rond een soort schandpaal en een sigaret opsteken in een restaurant zorgt regelmatig voor chagrijnige blikken.

Discussies over roken en niet roken zullen blijven bestaan totdat de laatste sigaret gedoofd is, maar gezond is het niet en zal het ook niet worden. De verhalen over een kennis van negentig die al zijn hele leven stevig rookt en nog steeds zijn tuintje spit, veranderen daar niets aan. Daartegenover staat altijd een veel groter aantal rokers dat doodziek op de longafdeling van een ziekenhuis ligt.

Wel of niet stoppen

Rookt u, vindt u dat u dat zelf moet weten en bent u ook absoluut niet van plan om te stoppen, dan is dat uw eigen zaak. Rookt u, maar zou u liever niet roken, dan leest u hier verder over de verschillende middelen die u kunnen helpen bij uw poging om ervan af te komen. Informeer bij uw ziektekostenverzekering welke hulpmiddelen worden vergoed. Laat eventuele zelf te maken kosten geen belemmering zijn. Deze verdienen zich als het goed is snel weer terug.

Zorg voor motivatie

Bij tekorten in het lichaam aan voedsel of vocht gaan onze hersenen direct inventief aan het werk om het euvel te verhelpen. Bij gebrek aan een verslavende stof zoals alcohol of nicotine lijken we nog eens dubbel zo 'slim'. Het lichaam zal en moet krijgen waar het om vraagt en door het bedenken van een heel scala aan geruststellende argumenten schenken we toch nog maar een glaasje in of halen we onze sigaretten weer achter uit de la. Een hardnekkig mechanisme, waardoor we onze intelligentie regelmatig tegen onszelf gebruiken. Het is niet eenvoudig dit zomaar te veranderen en steeds weer de motivatie op te brengen om dit vol te houden. Voor wie op dit punt versterking kan gebruiken is het boek *Stoppen met roken* van Allen Carr een aanrader. Al veel mensen zijn erin geslaagd om met behulp van dit rokersvriendelijke boek in één keer te stoppen.

De hulp van homeopathie

Bent u een voorstander van homeopathie, dan kunt u in overleg met een homeopaat uw eventuele ontwenningsverschijnselen de baas worden. Hij of zij kan na een intakegesprek een dosering vaststellen die goed aansluit bij uw persoonlijke omstandigheden. Ook bij de apotheek en de drogist zijn homeopathische middelen tegen ontwenningsverschijnselen verkrijgbaar.

Nicotinevervangers

Niet roken en toch nicotine binnenkrijgen om geleidelijk de verslaving af te bouwen kan met pleisters, kauwgom, tabletten of een inhaler. Er bestaan 'overdagpleisters' en 'dag-en-nachtpleisters'. Kauwgom kan worden gebruikt op momenten waarop de trek in een sigaret niet te harden is. Dit werkt binnen enkele minuten en biedt direct verlichting. De tabletten zijn voor onder de tong en hebben hetzelfde effect. Bij zeer grote behoefte aan roken kan een inhaler worden gebruikt. Voor al deze middelen geldt dat de dosering afhangt van de mate waarin men gewend is te roken. Door een afbouwschema wordt de dosis nicotine langzaam maar zeker verlaagd. Ontwenningsverschijnselen worden hierdoor zoveel mogelijk voorkomen. Nicotinevervangende middelen zijn niet voor iedereen geschikt. Er zijn verschillende medische omstandigheden waarbij het gebruik van deze middelen ongewenst is. Overleg daarom eerst met uw apotheker of arts of het gebruik voor u wel veilig is. Ook kunt u vragen stellen over welk middel en welke dosering het best bij u passen. De kans van slagen wordt daardoor alleen maar groter.

Acupunctuurbehandeling

Acupunctuur is een methode uit de traditionele Chinese geneeskunde en al sinds 2500 jaar in gebruik en ontwikkeling. In Nederland vallen acupunctuurbehandelingen onder de alternatieve geneeswijzen. In het land van herkomst noemt men de westerse geneeskunde juist alternatief. Het is maar net wat je gewend bent. Een acupunctuurbehandeling begint normaal met een intakegesprek. Daarna brengt men kleine naaldjes aan in het oor en op andere plaatsen in het lichaam. Die plaatsen corresponderen met bepaalde punten op de zogenoemde meridianen. Dit zijn de energiebanen waarvan men aanneemt dat ze het lichaam in evenwicht en in conditie houden. Het voelt minder erg dan het klinkt. Het zijn maar heel kleine prikjes van dunne steriele naaldjes. Gesprek en behandeling duren ongeveer een uur en het geheel vindt in alle rust plaats. Een gewaarwording op zich, die u zelf moet ondergaan om te oordelen of dit een voor u geschikte methode is. De kosten van een eerste behandeling liggen rond de vijftig euro. Soms is één behandeling al voldoende. De verzekering vergoedt vaak 75 tot 100 procent van de kosten.

Behandeling met lasertherapie

Deze behandeling komt overeen met de acupunctuurbehandeling, maar de naaldjes worden hierbij vervangen door laserlicht. Hier voelt u niets van. Instituten om met lasertherapie van het roken af te komen zijn her en der in opkomst en ook reguliere acupunctuurpraktijken werken steeds vaker met laserlicht. De prijzen kunnen nogal variëren, zo tussen de zestig en honderdveertig euro. Informeer en vergelijk de mogelijkheden voordat u een afspraak maakt.

Stoppen op recept

Als werkelijk niets helpt, dan kan de arts een recept uitschrijven voor Bupropion (Zyban). Van oorsprong is dit een antidepressivum, maar het middel blijkt ook effectief te werken tegen ontwenningsverschijnselen. Wel is er kans op bijwerkingen en het is daarom meestal niet een eerste keuze om het stoppen met roken te verlichten. De meningen over de werking en de kans op bijverschijnselen lopen nogal uiteen.

Veel succes toegewenst

Welke van al deze hulpmiddelen u ook probeert, u moet erdoorheen. Niet iedereen heeft het er moeilijk mee, maar voor de meeste mensen zijn vooral de eerste dagen en soms zelfs weken heel zwaar om door te komen. Chagrijnige buien in combinatie met lichamelijke klachten maken het leven er niet zonniger op. Gelukkig is dit allemaal van tijdelijke aard. Het triomfantelijke gevoel bij een overwinning is daarentegen blijvend. Veel succes!

Geestelijke gezondheid

Ruim zeventig procent van de geïnterviewden gaf aan zich duidelijk meer ontspannen te voelen dan in de periode dat ze nog werkten. Een zonnig resultaat, want stress en zorgen kunnen onze gezondheid behoorlijk schaden. Doordat we onszelf opjagen of juist schrap zetten ontstaan problemen als een hoge bloeddruk, hartklachten, maagklachten, verkrampte spieren of hoofdpijn. Een langdurige overbelasting van onze gemoedstoestand brengt dan ook behoorlijk wat risico's met zich mee.

Moeten we iedere vorm van stress dan maar zien te vermijden? Om te beginnen zou een volkomen stressloos leven waarschijnlijk niet te harden zijn. Buiten de ongelofelijke saaiheid zouden we al gauw een gemis gaan voelen. Een goed doorstane niet al te lange periode van stress wordt vaak gevolgd door een heerlijk ontspannen gevoel. Dit heilzame effect zoeken we zelf regelmatig op. De opluchting na een spannende film, een sportieve overwinning, een parachutesprong of een ritje in een achtbaan zijn daar bekende voorbeelden van.

Ook het succesvol oplossen van een ingewikkeld probleem kunnen we aan dit rijtje toevoegen. De hersenen mogen even heerlijk op nul en kunnen zich daardoor beter ontspannen. Zolang het evenwicht tussen inspanning en ontspanning goed in balans is, kunnen we heel wat doorstaan en presteren.

'Ik heb lange tijd nodig gehad om te wennen. Ik miste vooral
in het begin ook de spanning van het werk en de contacten.'

Langdurige stress

Als u jarenlang onder een overmatige werkdruk heeft moeten presteren, prijs uzelf dan gelukkig als u hier geen directe schade aan heeft overgehouden. 'Werken is niet gezond', meldde een van de geïnterviewden vol overtuiging en in zijn geval had hij zeker gelijk. Iedere dag weer jagen om het werk af te krijgen, desnoods door over te werken, is in veel banen inmiddels volkomen geaccepteerd. Als grootste veroorzaker van stress werd door de geïnterviewden echter niet het hoge werktempo maar de werksfeer genoemd. De onmacht die je voelt als je orders aan moet nemen van iemand die niet het beste met je voor heeft. De spanning die kan ontstaan als je weigert om vervroegd te stoppen. De ellebogenwerker die jou zijn of haar fouten in de schoenen probeert te schuiven. Stuk voor stuk situaties die je mee naar huis neemt, waar je 's nachts wakker van ligt en waar je soms jaren na het afscheid nog met een naar gevoel aan terugdenkt. Wie na een langdurige stressperiode opgelucht en gezond afscheid neemt, kan tot zijn verbazing thuis ineens te maken krijgen met klachten als hartkloppingen, slecht slapen, vermoeidheid of hoofdpijn.

Bij wie nog werkt, zie je deze verschijnselen ook maar dan met name in het weekend of aan het begin van de vakantie. Zolang we in een stresssituatie verkeren, blijven we vaak lange tijd boven onze macht functioneren. Ons over-levingsmechanisme zit zo in elkaar. Pas als het 'gevaar' geweken is, krijgen we de bibbers. Dit verschijnsel zie je letterlijk na een aanrijding. De schade-formulieren worden nog rustig en beheerst ingevuld, maar bij het vriendelijk aangeboden kopje koffie beginnen de knieën te knikken en komen soms ook de waterlanders.

Herstellen

Heeft u een langdurig zware periode achter de rug, gun uzelf na het afscheid dan de tijd om uw evenwicht te hervinden. De kans is groot dat u hierbij de nodige ups en downs krijgt te verwerken. Zijn de klachten echt ingrijpend of verontrustend, praat hier dan over met uw huisarts, ook als de klachten naar uw idee alleen in uw hoofd zitten. Een depressief of nerveus gevoel dat maar aanhoudt, is ingrijpender dan een gebroken been. Het begrip uit de omgeving is daarbij ook vaak een stuk minder. Een goed gesprek met iemand die weet waarover u het heeft, kan de lucht wat doen opklaren.

Single of samen

Is het mogelijk om als 'seniorsingle' een gelukkig en volwaardig bestaan te leiden en dat ook nog eens zonder werk? Zweeft een vutter of gepensioneerde die wel een partner heeft dagelijks gelukzalig en genietend door het leven? Door het stellen van dergelijke vragen is een discussie snel op gang en de antwoorden lopen daarbij uiteen van 'vast wel' tot 'absoluut niet'. Persoonlijke ervaringen en situaties uit de omgeving dienen daarbij in de regel als uitgangspunt en deze verschillen behoorlijk. Wie single is na een verstikkend huwelijk ervaart dit als een zegen. Na het verlies van een dierbare partner is het alleenzijn juist vreselijk moeilijk. Dezelfde grote verschillen doen zich evengoed voor bij mensen die niet alléén, maar samen door het leven gaan. De cijfers voor lief en leed achter al die voordeuren in Nederland lopen net zo ver uiteen als de bijbehorende huisnummers.

Het aantal alleenstaanden bedroeg in 2006 bijna 2,5 miljoen. Verwacht wordt dat dit aantal in 2035 met één miljoen zal zijn toegenomen. Mensen worden ouder, het aantal echtscheidingen zal niet afnemen en steeds meer stellen kiezen voor een lat-relatie. In eerste instantie zou je denken dat iemand die alleen leeft het per definitie moeilijk krijgt zonder collega's en werk. Veel alleenstaande geïnterviewden hadden het echter prima naar hun zin. Niet dat een waardevolle aanvulling van een levensgezel door niemand wordt gemist, maar een reden om de dagen in eenzaamheid te slijten is het zeker niet. Wie alleen woont en met regelmaat mensen wil blijven zien, moet daar vaak wel meer moeite voor doen. In goede doen is dat niet zo'n probleem maar wanneer je niet lekker in je vel zit, moet je het wel alleen zien te rooien.

Een partner is geen garantie voor geluk
Van alle geïnterviewden gaf dertien procent in meer of mindere mate aan dat ze de eerste periode na het afscheid vonden tegenvallen en moeite hadden om te wennen aan de nieuwe situatie. Gek genoeg hadden al deze mensen toen zij stopten met werken nog een partner! Op één geïnterviewde na had iedereen kinderen en de meesten ook nog eens kleinkinderen. De aanwezigheid van een partner en verdere erfgenamen is dus geen garantie voor een probleemloze overstap naar een bestaan zonder werk. Het gegeven dat anderen om je heen het allemaal op een vrolijke manier druk hebben, kan ook averechts werken.

Meer vrouwen dan mannen single

Het verschil tussen het aantal mannelijke en vrouwelijke alleenstaande 50-plussers is behoorlijk te noemen. In 2003 telde men tegenover elke dertig alleenstaande mannen boven de vijftig achtenvijftig alleenstaande vrouwen. Dit verschil wordt veroorzaakt door twee factoren: de man is meestal wat ouder dan zijn partner en de man heeft niet dezelfde levensverwachting als de vrouw. Het eerste feit zal voorlopig wel zo blijven, maar het verschil in levensverwachting tussen mannen en vrouwen wordt steeds kleiner. In 1930 werden vrouwen gemiddeld zeven jaar ouder dan mannen. In 2003 was het verschil 4,7 jaar. Volgens een voorspelling van het CBS zal dit verschil in 2050 nog maar 3,1 jaar zijn. De belangrijkste oorzaken hiervan zijn de dalende sterfte aan hart- en longziekten onder mannen en een toenemende sterfte hieraan onder vrouwen. De emancipatie kent ook zo zijn schaduwzijde. De moderne vrouw rookt meer, neemt minder beweging en kent meer stress.

' "Ik met pensioen, jij ook met pensioen!", zei ik tegen mijn vrouw toen ik thuiskwam. We doen samen het huishoudelijke werk, zodat we over evenveel vrije tijd beschikken.'

Welkom thuis?

Slecht nieuws haalt altijd eerder de krant dan goed nieuws. De verhalen van vrouwen die als een berg opzien tegen de thuiskomst van hun man lijken altijd zwaarder te wegen dan de opgewekte berichten over dit onderwerp. Er zijn toch echt veel vrouwen die het heerlijk vinden als hun man thuiskomt. Ze verheugen zich erop om samen leuke dingen te gaan doen en gunnen hun partner van harte een welverdiende 'oude' dag. Bij de geïnterviewden was ook een aantal mannen die al een paar jaar thuis waren voordat hun partner stopte met werken. Een omgekeerde situatie dus, die steeds meer gaat voorkomen. Steeds meer vrouwen hebben zelf een baan en in de regel zijn ze jonger dan hun partner, zodat ze nog werken als de man stopt.

'In het begin werkte mijn vrouw nog, dus automatisch deed ik het huishoudelijk werk. Is dit het nou, dacht ik toen wel eens vertwijfeld. Ik vond er niks aan.'

Even geduld a.u.b.

Deze zin verschijnt in beeld tijdens een storing op de televisie. De thuiskomst van de partner is hier wel mee te vergelijken. De vertrouwde dagelijkse programma's zijn uit de lucht en alleen de weekend- en vakantieprogramma's zijn nog voorhanden. Alle kanalen voor door de week moeten opnieuw worden ingesteld en dat kost tijd. Stel de eerste weken of maanden niet te hoge eisen aan elkaar en verwacht niet dat alles direct zonnig en op rolletjes verloopt. Voor beide partijen is de dagelijkse gang van zaken behoorlijk verstoord. Hier iedere dag even flexibel en opgewekt mee omgaan ligt niet binnen ieders bereik. Het heeft allemaal even tijd nodig. Het vertrouwde dagritme en het werk worden nog gemist en soms is de energie om dingen te gaan ondernemen nog ver te zoeken. Begrip en geduld van beide kanten voorkomt de nodige stress en ergernissen. Loopt de thuisgekomen partner de eerste weken met zijn of haar ziel onder de arm wat besluiteloos rond te hangen, trek dan niet direct wanhopige conclusies voor de rest van uw leven. Dit is normaal gesproken een tijdelijke situatie. Verlang als u thuiskomt ook niet direct dat uw partner op slag en sprong alle bestaande afspraken en bezigheden voor u opzijzet om samen dingen te gaan doen.

Bemoei je met je eigen zaken

Misschien een wat woeste aanhef, maar deze zin wordt behoorlijk vaak gedacht en geroepen. Gekibbel rond het huishouden is vreemd genoeg het meest voorkomende irritatiepunt bij partners die elkaar in de weg lopen. Vooral mensen met een leidinggevende functie kunnen zich na thuiskomst bij gebrek aan beter soms fanatiek op de dagelijkse gang van zaken storten. 'Als je dit nu eens zus of zo doet.' 'Kun je die kast niet beter anders indelen?' 'Moet je alweer stofzuigen?'

'Geef elkaar ook eens een schouderklopje.'

Wie veertig jaar lang zelfstandig het huishouden voor haar of zijn rekening heeft genomen zit niet te wachten op dergelijke opmerkingen. Voor de mensen die zich hieraan schuldig maken kan het helpen om zich even op het werk terug te wanen, maar dan met de partner de hele dag om zich heen. Fantaseer het nodige ongevraagde commentaar van hem of haar erbij: de indeling van het bureau kan anders, de manier van vergaderen is niet effectief, de planning kan beter en telefoongesprekken kunnen korter. Tijdens de stiltes tussen het commentaar voelt u zich ook niet prettig: uw partner staat ongedurig met de handen in de zakken uit het raam te staren. Misschien helpt een dergelijke vergelijking om u enigszins in te leven bij protesten tegen een al te overheersende inbreuk op de dagelijkse gang van zaken. Andersom krijgt ook de thuiskomende partner het soms zwaar te verduren. 'Waar ga je heen en hoe laat ben je terug?' 'Heb je wat te doen vanmiddag, om twee uur komen Thea en Dinie.' 'Moet dat, die kranten de hele dag op de bank?' Ook al zijn de opmerkingen niet opzettelijk onaardig bedoeld, ze helpen iemand niet echt op weg om zijn of haar draai te vinden.

Als het echt een ramp is

Samen doen ze de boodschappen en gaan ze op bezoek bij de kinderen. Heel gezellig allemaal en niemand die iets bijzonders aan ze ziet. Toch krijgt één op de vijf vrouwen in ons land te maken met geweld binnen een relatie. In elf procent gaat het om ernstig lichamelijk geweld en in veel gevallen is er drank in het spel. De mishandeling kan eenmalig zijn, maar ook jarenlang voortduren zonder dat de omgeving daar iets van merkt. Ook mannen kunnen het slacht-offer worden, maar de kans dat dit naar buiten komt is heel gering. Wie begrijpt je als je vertelt dat je vrouw je geregeld slaat? Ook voor geweld binnen een vrouw-vrouw- of man-manrelatie is vaak weinig begrip.

Naast een lichamelijke vorm van geweld kan men iemand ook geestelijk schade toebrengen. Door vernedering, bedreiging en onderdrukking raak je beschadigd en heb je niet meer de energie om je op eigen kracht uit een dergelijke situatie te bevrijden.

Wie onder zulke omstandigheden de thuiskomst van de partner tegemoet ziet of stopt met werken heeft een groot probleem en dringend hulp nodig, maar in de praktijk is dit niet eenvoudig. Hoe ernstig zijn de risico's die je loopt, waar moet je gaan wonen, hoe moet het financieel en wie kun je in vertrouwen nemen? Daarnaast schamen veel mensen zich ook nog eens voor de hele situatie, terwijl ze zelf het slachtoffer zijn. Opkomen voor jezelf is voor anderen vanzelfsprekend, maar als je er alléén voor staat is de eerste stap naar een betere toekomst heel moeilijk. Een afspraak maken met de huisarts is zo'n stap, desnoods onder het mom van een kwaaltje. Wat men aan de huisarts vertelt blijft vertrouwelijk. De arts heeft een beroepsgeheim en zal niets ondernemen zonder iemands toe-stemming. De huisarts geeft ook informatie over mogelijke begeleiding en in ernstige gevallen zo nodig over een veilige tijdelijke opvang. Achter in dit boek staan verschillende telefoonnummers van hulpinstanties. Daarachter zitten mensen die weten waarover je het hebt en begrijpen dat er situaties zijn die je niet van de ene op de andere dag kunt veranderen. Met heel veel zorg en aandacht bieden ze hulp om te komen tot iets waar je recht op hebt: een mens-waardig en gelukkig bestaan.

Thuiskomen zonder partner

Stoppen met werken biedt de mogelijkheid weer van alles en nog wat te gaan ondernemen. Wanneer je alleen bent, kan daarbij het verlangen ontstaan om dit samen met iemand te delen. Wie zijn partner verloren heeft, bedenkt waar-schijnlijk regelmatig hoe jammer het is deze nieuwe periode niet samen te kun-nen beleven. Overal zie je stellen om je heen voor wie het de gewoonste zaak van de wereld is om samen te fietsen, uit eten te gaan en vakantie te vieren. Ook wie gescheiden is en thuiskomt kan zich afvragen of dit nieuwe bestaan niet wat feestelijker zou zijn met een nieuwe levensgezel. Natuurlijk geldt dit niet voor iedereen. Er zijn legio mensen die zich met een fijn stel vrienden om zich heen ook prima voelen en het zeer op prijs stellen te kunnen gaan en staan waar ze willen.

'Onderhoud je contacten, als je alleen overblijft heb je niemand meer.'

Gezocht m/v

Exacte cijfers ontbreken, maar een groot aantal Nederlanders is bewust op zoek naar een partner. Onder hen bevinden zich ook de nodige senioren. Met regelmaat kijken ze belangstellend om zich heen, op zoek naar een mogelijke levensgezel. Soms brengt het lot je op een onverwacht moment in contact met de juiste persoon. Zomaar door een toevalligheid als een lekke band, een teruggevonden huisdier of een verkeerd geadresseerde kerstkaart maak je kennis met iemand die de rest van je leven bij je blijft. Ook op latere leeftijd kunnen verliefdheid en romantiek toeslaan als een donderslag bij heldere hemel. Dat brengt nogal wat emoties met zich mee, variërend van hoopvolle vrolijke verwachtingen tot bedroevende teleurstellingen. Wie deze risico's niet uit de weg gaat en het toeval een handje wil helpen kan ervoor kiezen om bewust op zoek te gaan naar een (nieuwe) partner.

'Ga niet thuis zitten wachten op de dingen die niet komen.'

Waar vind je hem of haar?

Hoe pak je het aan om iemand te vinden die bij je past en met wie je gelukkig wordt? Moet je vaker uitgaan, lid worden van een vereniging of mee gaan lopen met een wandelclub? De kans dat u daarmee inderdaad 'de ware' tegenkomt is niet uitgesloten, maar ook niet al te groot. Actief op zoek gaan en/of ervoor zorgen dat u te vinden bent, is het alternatief. Een advertentie plaatsen is een mogelijkheid, maar hoe betrouwbaar zijn de personen die daarop reageren? Ditzelfde probleem geldt voor de vele gratis internetsites met foto's en tekstjes. Zijn de bedoelingen van al die mensen wel zo ideaal en is het wel veilig afspreken met de op het eerste gezicht zo leuke single? In veel gevallen wel, maar omdat iedereen zich zonder enige controle en kosteloos kan inschrijven is de kans op ongewenste bedoelingen groter. Ook niet alle betaalde websites zijn te vertrouwen. Al geruime tijd zijn diverse oplichters actief, die door het versturen van aantrekkelijke nepreacties betalende leden binnenhalen. Als het geld eenmaal is overgemaakt gebeurt er weinig meer. Veel internetsites kennen ook geen serieuze voorselectie, maar misschien houdt u daar helemaal niet van en dopt u liever uw eigen boontjes. Wat voor actie u ook onderneemt, ga met verstand te werk en laat daarna uw hart pas spreken.

Relatiebemiddelingsbureaus

Deze zijn er in alle soorten en maten en bij welk bureau uw ideale partner zich heeft ingeschreven is van tevoren moeilijk vast te stellen. Logisch gezien kun je ervan uitgaan dat de kans om iemand te vinden bij een groot bureau groter is. Hoe meer mensen zich hebben ingeschreven, hoe groter de kans om een gelijkgestemde partner te vinden. Het voordeel van een betaald bemiddelings- bureau is dat er zich over het algemeen alleen serieuze kandidaten aanmelden. Met iedereen die ingeschreven staat is een persoonlijk gesprek gevoerd en ook dit voorkomt in de regel dat ongewenste figuren zich aanmelden. Een goed intakegesprek verhoogt niet alleen de veiligheid, maar ook de slagingskans: het bureau kan aan de hand van uw persoonlijke gegevens vast een voorselectie maken. Van een goed bureau mag u een goede begeleiding verwachten en ook de nodige privacy. De bemiddelingskosten variëren en worden soms berekend naar draagkracht. Achter in dit boek vindt u de adresgegevens van enkele bureaus. U kunt daar vrijblijvend informatie opvragen. Er bestaan uiteraard nog veel meer bureaus en welk bureau het best bij u past is heel persoonlijk. Let bij uw keuze op het aantal ingeschreven personen in uw leeftijdscategorie en indien gewenst ook in uw eigen regio. Informeer of het bureau is aangesloten bij een erkende branchevereniging en verdiep u uitgebreid in de werkwijze en de tarieven. En dan maar hopen dat uw aanstaande partner dezelfde wegen zal bewandelen.

Die afgrijselijke eerste afspraak

Waar moet je afspreken, wat moet je aantrekken, moet je iets meenemen, wat ga je wel en niet over jezelf vertellen? Een date op je zestigste is niet helemaal zoals een afspraakje op je vijftiende, maar spannend blijft het. Jezelf blijven en ongedwongen een praatje houden valt niet mee in een dergelijke situatie. Daarbij zit de ander ook nog eens in hetzelfde schuitje en hij of zij is misschien wel net zo gespannen als u. Ziet u er tegenop om met kloppend hart of een brok in uw keel tegenover iemand aan de koffie of lunch te zitten, bedenk dan samen wat anders. Een locatie met de nodige afleiding is vaak wat meer ontspannen. Tijdens een wandeling door de dierentuin, een bezoek aan een museum of een andere plaats die u beiden aanspreekt, heeft u wat meer aanknopingspunten voor een ongedwongen gesprek. De instelling om er in ieder geval samen een leuke middag van te maken kan helpen, maar in de praktijk valt dat niet altijd mee. Vind je iemand erg leuk, dan wil je graag dat dit wederzijds is. Valt de afspraak tegen en gun je iemand geen tweede kans, dan zul je de ander teleur moeten stellen. Wilt u iemand graag opnieuw ontmoeten, maar kijkt u liever de kat nog even uit de boom, voel u dan niet verplicht om iemand bij u thuis uit te nodigen. Als het echt klikt en u past bij elkaar dan is daar later nog tijd genoeg voor. Neemt u liever zo min mogelijk risico's, dan zijn de hulp en het advies van een betrouwbaar bemiddelingsbureau een goede steun in de rug. Uw hand vasthouden bij uw eerste afspraakje doen ze niet, maar waarschijnlijk zit u daar ook helemaal niet op te wachten.

'Het huishouden doen we samen.'

Trouwen, hokken of latten?

Een nieuwe partner leren kennen betekent tegenwoordig niet automatisch dat je gaat trouwen en/of samen met de ander een huishouden gaat voeren. Bij elkaar gaan wonen of (her)trouwen is minder vanzelfsprekend dan vroeger en de noodzaak hiertoe is bij senioren ook minder aan de orde. Een gezin stichten is er niet meer bij en een eigen woning heb je al. Veel meer vrouwen dan mannen geven de voorkeur aan lat-relatie. Zou het komen omdat samenwonen in veel gevallen ook 'zorgen voor' betekent? Niet alle mannen pakken fluitend de stofzuiger of het strijkijzer. Een andere oorzaak kan zijn dat vrouwen gevoeliger zijn voor de mening van anderen.

'Het zijn onzekere tijden, pluk de dag als je nog gezond bent.'

Commentaar

De keuze om al dan niet getrouwd onder één dak verder te gaan, is een zaak die eigenlijk alleen beide partners aangaat en in principe heeft niemand daar verder iets mee te maken. In de praktijk wordt er door de omgeving toch geregeld de nodige druk uitgeoefend om niet, of juist wel te gaan trouwen en/of samen te gaan wonen. Volwassen kinderen die allang een zelfstandig leven leiden, blijken ineens bezwaren te hebben tegen een nieuwe partner van hun vader of moeder. Goede vrienden blijken een stuk minder ruimdenkend dan ze zich voordeden en ouders van senioren voelen zich geroepen om uitgebreid hun mening te geven. Het leven wordt er door al die bemoeienissen bepaald niet zonniger op en je kunt je afvragen in hoeverre deze mensen zich betrokken voelen bij je levensgeluk. Bij de kinderen zijn bezwaren soms gebaseerd op zorgen over de erfenis. Wanneer bijvoorbeeld de vader weduwnaar is en hertrouwt, erft de nieuwe partner na zijn overlijden automatisch zijn bezittingen. De kinderen kunnen wettelijk een overdracht van goederen verlangen, maar de aangetrouwde vrouw heeft zolang zij leeft recht op het vruchtgebruik. Via een testament zijn ook andere regelingen mogelijk.

Dergelijke nare situaties met familie en vrienden zijn gelukkig in de minderheid. In de regel zullen op de aankondiging van een nieuwe liefde enthousiaste en uiteraard ook nieuwsgierige reacties volgen. En of het daarbij gaat om Jan van internet, Mieke uit de krant of Joris van het bemiddelingsbureau, dat doet er dan verder niet meer toe.

'Bezig blijven. Genieten mag.'

De financiële kant

Mensen die samenwonen krijgen minder AOW, maar daar staat tegenover dat de woonlasten en ook veel andere kosten kunnen worden gedeeld. Bij een lat-relatie is dit niet het geval. Er zijn twee huizen en daarbij horen als u beiden 65 jaar of ouder bent, twee volledige AOW-uitkeringen. Om te bepalen of u wel of niet samenwoont, zijn er wettelijke regels vastgesteld. De SVB vermeldt in haar brochure over lat-relaties het volgende (de tekst is enigszins ingekort):

Henk en Bep hebben ieder een woonruimte op een eigen adres en wonen daar ook. Gemiddeld logeren ze twee tot drie dagen per week bij elkaar en betalen dan samen de maaltijden. Zij verzorgen elkaar bij ziekte en gaan samen op vakantie. Volgens de SVB voeren Henk en Bep geen gezamenlijk huishouden, want daarvoor brengen ze te weinig tijd bij elkaar door. Het is in deze situatie ook niet meer relevant of ze voor elkaar zorgen. Ze ontvangen beiden een AOW-uitkering voor alleenstaanden.

Voor wie zijn eigen situatie precies met die van Henk en Bep kan vergelijken, zal de brochure duidelijk zijn, maar in de praktijk zijn hierop een groot aantal variaties mogelijk. Ook zijn er mensen die op commerciële basis samenwonen: de één huurt dan bij de ander. Al met al zijn er nogal wat mogelijkheden en de nodige haken en ogen. Voor bijvoorbeeld een AOW'er met een eigen woning, die intrekt bij iemand die naar verwachting minimaal twee jaar hulpbehoevend is, geldt een nieuwe regeling. Met terugwerkende kracht tot 4 april 2006 behoudt men hierbij onder de nodige voorwaarden de AOW voor alleenstaanden.

Heeft u vragen over de financiële consequenties van samenwonen dan is het verstandig om u, voordat u zich aanmeldt bij de SVB, goed te laten informeren. Bent u eenmaal officieel geregistreerd en kiest u vanwege de financiële consequenties liever voor een andere vorm van samenwonen, dan is dit niet zomaar te veranderen. Voor een goed advies of verdere informatie kunt u contact opnemen met de seniorenbonden. Deze zijn bijzonder goed op de hoogte met deze problematiek en maken zich daarbij sterk voor een duidelijke wetgeving en een goede voorlichting. Achter in dit boek vindt u de telefoonnummers van de diverse advieslijnen van de bonden.

Beëindiging samenwoning

Is uw huwelijk stukgelopen en woont u apart, maar bent u op papier nog getrouwd? De SVB beschouwt u dan als ongehuwd en u ontvangt beiden een AOW-uitkering voor alleenstaanden. Ook als u apart gaat wonen omdat uw partner (definitief) wordt opgenomen in een verpleegtehuis kunt u beiden een uitkering voor niet-gehuwden ontvangen. Dit heeft wel weer andere financiële gevolgen. De bijdrage voor de AWBZ gaat daardoor omhoog en de wijziging kan ook gevolgen hebben voor de huursubsidie en de belasting. Informeer daarom altijd van tevoren goed naar wat het u uiteindelijk financieel oplevert of gaat kosten. Ook met deze vragen kunnen de seniorenbonden u verder op weg helpen.

Samen onder één dak, samen wegwijs

Zoals ook in het hoofdstuk over de financiën wordt aangehaald, is het van belang dat wanneer u met een partner een huishouden deelt, u beiden op de hoogte blijft van de gang van zaken. Zet samen op papier wat er maandelijks of jaarlijks moet worden geregeld rond financiën, verzekeringen, onderhoud en andere zaken. Wordt de rekening geblokkeerd bij overlijden, is er een onderhoudscontract voor de cv-ketel, betaalt de verzekering een gebroken ruit? Alledaagse dingen kunnen, als je er ineens alleen voor staat, onnodig voor extra problemen zorgen. Daarbij vinden veel mensen het vervelend om alsmaar een ander lastig te moeten vallen over persoonlijke zaken.

'Niet "handje pepermuntje" overal samen naar toe gaan,
als je alleen komt te staan heb je geen contacten meer!
Ga allebei je eigen weg en laat elkaar vrij.
Koester dat je samen bent.'

Doe niet alles samen

De partner stopt met werken en ineens heb je samen alle tijd om leuke dingen te gaan doen. Als dit al te consequent wordt doorgevoerd schieten afspraken met familie, vrienden en kennissen er steeds vaker bij in. In de loop der jaren verwateren de contacten en als je er dan ineens alleen voor komt te staan blijkt dat 'alleen' wel heel letterlijk. Tijdens de interviews werd dit probleem verschillende malen genoemd door mensen die dit zelf hadden meegemaakt of dit bij anderen hadden gezien.

Ook om andere redenen is het belang van goede vrienden niet te verwaarlozen. De partner is geen wondermens, die werkelijk al je interesses en liefhebberijen met je kan of wil delen. Gun elkaar de ruimte en waak erover dat je wereldje niet te klein wordt. Op die manier heb je elkaar ook nog wat te vertellen.

'En dan lopen we zomaar op een donderdagmiddag met de hond in het park. Als een god in Frankrijk voel ik me. Het lijkt wel of ik de loterij gewonnen heb.'

'Thuis zijn is een verademing, minder gehaast en eindelijk rustig tijd voor de krant.'

'Ik ben al zestien jaar thuis en heel af en toe droom ik nog dat ik te laat ben voor de prikklok of dat iemand me vraagt of mijn werk nog niet af is.'

'Het blijft een beetje als twee kapiteins op één schip.'

'Ik liet het eerst maar eens op me afkomen. In het begin had ik wel moeite om mijn draai te vinden. Buiten bridgen en de computer heb ik geen hobby's.'

'Ik heb wel vakantieplannen, maar het komt er niet zo van.'

'Houd rekening met je vrouw en neem niet al haar taken over.'

'Vaak moeten we samen een keuze maken uit meerdere dingen die er te doen zijn.'

'Laat je niet gek maken als iedereen op je werk je vraagt wat je straks thuis gaat doen.'

Sociale contacten

Op Kastanjelaan 62 woont 'meneer Jansen'. Hij staat voor het raam en bedenkt dat hij al in geen drie maanden bezoek heeft gehad. 'Meneer Pietersen' op nummer 74 bladert op hetzelfde moment zuchtend in zijn agenda. De hele week staat weer vol met afspraken. Vrije tijd om eens rustig dat spannende boek uit te lezen blijft er niet over. Heeft Pietersen een drukke baan en een grote familie? Nee, hij is sinds drie jaar met pensioen en zijn familie woont in het buitenland. En Jansen dan, is dat een eenzelvige en ongeïnteresseerde persoon? Nee, tot enkele jaren terug had ook hij een fijne kennissenkring. De laatste jaren heeft hij echter van heel wat goede vrienden, familieleden en oud-collega's afscheid moeten nemen.

De behoefte aan sociale contacten verschilt van persoon tot persoon, maar echt zonder kunnen we niet. Zelfs het meest zelfstandige en voortvarende type voelt zich bij gebrek aan contacten al snel eenzaam en ongelukkig. Het maakt daarbij niet uit of we in een drukke stad wonen of midden op het platteland. We hebben allemaal van tijd tot tijd behoefte aan een gesprek, een leuk nieuwtje, een aanmoediging of een bevestiging.

Tijd voor actie
Veel senioren hebben niet direct gebrek aan contacten en zijn behoorlijk druk met afspraken. Soms is dit zelfs te veel van het goede en gaan de gezelligheden aanvoelen als verplichtingen. Wie daar vanaf wil zal in actie moeten komen, want vanzelf houdt dit niet op. Hetzelfde geldt voor mensen die te weinig contacten hebben. Afwachten en blijven hopen op betere tijden geeft maar een heel klein kansje op verbetering. U zult zelf iets moeten ondernemen om mensen te ontmoeten. Een strategisch plan kan daarbij hulp bieden. Om te beginnen is het goed om eens te bekijken wat stoppen met werken en de bijbehorende leeftijd voor invloed hebben op het bestand van 'trouwe kameraden'.

Collega's vallen af
Wie gewend is om dagelijks zijn wel en wee te delen met een leuk stel collega's, zal deze contacten zeker missen. Bij het afscheid wordt van beide kanten nog overtuigend geroepen dat men elkaar zal blijven zien, maar in de praktijk loopt het vaak toch anders. Soms zijn binnen enkele maanden al veel contacten

beëindigd, maar echte vriendschappen blijven wel bestaan. Ook collega's met een gezamenlijke vrijetijdsbesteding blijven elkaar vaak jarenlang zien.

Leeftijdgenoten worden schaarser

Wat verzachtend werd het vaak uitgedrukt door de geïnterviewden: 'Ja, er vallen natuurlijk ook mensen weg.' De realiteit is er niet minder definitief om. Met het klimmen der jaren worden we steeds frequenter geconfronteerd met ziekten en de dood. Het begint met de rouwdiensten van ouders, ooms en tantes, maar vanaf een bepaalde leeftijd lopen we een steeds groter risico om ook onze partner, broers, zussen en andere leeftijdgenoten te verliezen. Gelukkig staan we daar niet dagelijks bij stil, maar bij iedere rouwkaart word je wel met je neus op de feiten gedrukt. Geen mens vraagt na een rouwdienst hardop wie de volgende zal zijn, maar toch denk je erover na. Iedereen gaat daar op zijn eigen manier mee om. Waar bij de een de gedachte opkomt 'het leven is kort, pluk de dag', voelt de ander zich steeds moedelozer en dichter bij zijn eigen einde.

Minder definitief, maar vaak net zo ontluisterend raken we ook contacten kwijt door allerhande aandoeningen en ziekten. Schaakvrienden worden dement, wandelgenoten invalide en brieven van een vriend uit Canada blijven uit omdat hij last van reuma heeft. Het gemis dat hierdoor ontstaat, is niet zomaar in te vullen door nieuwe vrienden en bekenden.

'We begonnen met een fietsclub van tien man.
Ik ben nu de enige die nog over is.'

Minder contacten 's avonds

Gemoedelijk in je eentje 's avonds over straat, fluitend tegen twaalven in een bushokje langs de doorgaande weg? Op steeds meer plaatsen in het land lijkt dit iets uit een ver verleden. Samen op pad gaat nog wel, maar alleen in het donker de deur uit gaan doen maar weinig senioren voor hun plezier. Niet lopend, niet fietsend en ook niet met het openbaar vervoer. Heen gaat nog wel, maar later op de avond terug voelt het niet prettig. Vooral in het weekend als de jeugd de straat op komt voelt men zich bedreigd. De berichten in de media versterken dit gevoel. Ook veel senioren met een eigen auto gaan in de avond liever niet alleen op pad. Soms is een verminderd zicht daar debet aan, maar ook de angst dat men 's avonds met pech komt te staan speelt een rol.

Bij de wat oudere senioren staat bovendien 's avonds de energie op een lager pitje. Rustig thuis voor de buis is daarom bij veel mensen populair. Echte avondmensen die graag leeftijdgenoten ontmoeten, zullen hun activiteiten daardoor meer naar de dag moeten verschuiven.

Contacten en financiën

Wie voor alles in is, kan ook met een kleine beurs best nog wat ondernemen. Wanneer de wensen iets specifieker liggen, kunnen de kosten voor ontspanning en contacten roet in het eten gooien. Maandelijks naar een mooi concert, een cursus zilversmeden, paardrijlessen, gezellig met anderen uit eten of op vakantie: het is allemaal behoorlijk prijzig. Vaak hebben mensen die een goed leven gewend zijn ook wel een behoorlijk pensioen, maar voor degenen die een flinke stap terug moeten doen, kan deelname aan het vertrouwde sociale circuit problemen opleveren.

'Golf is een duur soort van wandelen.'

Alleen ben je soms minder welkom

Het is te erg voor woorden, maar mensen zijn na het verlies van een partner soms bij hun vertrouwdste vrienden niet meer welkom. In het begin is er nog alle aandacht, maar van lieverlee wordt het animo minder. Na jaren leuke kaartavondjes en fietstochtjes met zijn vieren blijft het voor iedereen moeilijk maar wie daardoor aan de kant geschoven wordt, voelt zich nog eens dubbel eenzaam. 'Ja het is wel leuk als je komt, maar het is voor Paul zo vervelend. Hij heeft dan niemand om mee te praten.' Gelukkig gaat het niet overal zo maar iemand die voortaan alleen verder moet, kan hier wel tegenaan lopen.

Andersom komt het ook voor dat degene die zijn partner verloren is niet meer ingaat op uitnodigingen van bevriende stellen. Het is in het begin erg wennen om ergens alleen op bezoek te gaan. Wie daarvoor de moed niet kan opbrengen loopt de kans in een isolement te raken.

'Een halfjaar geleden ben ik voor de tweede keer weduwe geworden.
Ik voel me nog steeds niet sterk genoeg om de draad weer op te pakken.'

Nieuwe contacten

Na al deze problemen wordt het hoog tijd voor positieve actie, gericht op gezelligheid, warmte, vriendschap en al wat daaruit voort kan komen. Voor iedereen die te weinig contacten heeft en zich daardoor regelmatig alleen voelt, is er werk aan de winkel. Wie zijn kansen te somber inziet, kan van start gaan met de volgende gedachte: er zijn ontzettend veel mensen in ons land die net als u graag nieuwe gezichten willen leren kennen. Niet alleen op Kastanjelaan 62, maar ook op heel veel andere adressen in Nederland kijken mensen uit naar een onverwacht telefoontje of een leuke afspraak.

Bedenk eerst wat u wilt

Enige behoedzaamheid lijkt misschien niet zo voor de hand liggend, maar in het wilde weg contacten maken kan op een teleurstelling uitlopen. Het risico om straks jaren aan iemand vast te zitten die u bij nadere beschouwing liever ziet gaan dan komen, is altijd aanwezig. Zet daarom voor uzelf eens goed op een rijtje waaraan u behoefte heeft. Wat wilt u met de ander delen en wat heeft u daarbij te bieden? Ontvangt u graag mensen thuis of juist liever niet? Bedenk wat voor soort mens u bent en waar uw interesses naar uitgaan. Houdt u het leven graag simpel of vindt u het heerlijk om uitgebreid te filosoferen? Reageert u enthousiast als iemand u een bijzondere vlinder aanwijst? Bent u op zoek naar lotgenoten? Herkenning en uitwisseling vormen een goede basis. Ook kunt u zich afvragen of u beter gedijt in een groep of meer voelt voor individuele contacten. Bent u al tevreden als u in het algemeen wat mensen spreekt of bent u meer op zoek naar een gedegen vriendschap of een relatie? Het een sluit het ander niet uit, maar het kan helpen als u weet waarnaar u precies op zoek bent. Ga daarbij niet al te dogmatisch te werk, zodat ongewone en niet al te voor de hand liggende ontmoetingen direct de pas worden afgesneden. Veel bijzondere vriendschappen ontstaan tijdens onverwachte situaties en op minder voor de hand liggende momenten.

Wat kunt u doen?

Om te beginnen is het goed om eens te inventariseren wat uw omgeving u te bieden heeft. De gemeentegids en folders in de bibliotheek geven al een schat aan informatie. Bent u lid van een seniorenbond, dan vindt u daar ook een heel divers aanbod. Verder levert het bestuderen van de plaatselijke kranten vaak ook de nodige ideeën op. Cursussen, vrijwilligerswerk, lezingen, muziekavonden, tentoonstellingen, er wordt echt van alles georganiseerd en vaak is iedere bezoeker daarbij van harte welkom. Probeer eens wat verschillende mogelijkheden uit. De meeste verenigingen kijken er niet van op als iemand een keertje wil komen kijken.

'Sociale contacten zijn erg belangrijk.'

Activiteiten als natuurwandelingen en excursies zijn heerlijk vrijblijvend. In een ongedwongen sfeer ben je een paar uurtjes gezellig met elkaar op stap. Samen in de schoolbanken biedt ook mogelijkheden. Wie zich inschrijft voor een cursus of workshop ziet wekelijks dezelfde mensen terug. Bedenk daarbij wel dat niet iedere cursus geschikt is om met anderen in contact te komen. Tijdens een workshop keramiek praat je nu eenmaal makkelijker dan tijdens een cursus programmeren. Als er geen koffiepauze op het programma staat, is de kans op contact ook een stuk kleiner.

Naar een fitnessschool gaan met de intentie andere mensen te leren kennen loopt meestal op een teleurstelling uit. De meeste bezoekers gaan een uurtje hard aan het werk en verdwijnen daarna weer. Een gezellige (senioren)trimclub is dan een betere optie. Samen muziek maken of zingen schept een band en af en toe ergens optreden zorgt voor een feestelijke noot. Ditzelfde geldt voor toneelspelen.

'Kom maar eens een paar ochtenden meelopen bij de vereniging.'

Vrijwilligerswerk biedt veel gelegenheid tot contact, maar is niet altijd even vrijblijvend. Wel zijn de mogelijkheden heel divers, zowel op bestuurlijk en organisatorisch als op praktisch gebied. In het hoofdstuk over vrijwilligerswerk vindt u hierover uitgebreide informatie. Enkele geïnterviewden vertelden dat ze weer betaald werk zijn gaan doen omdat ze het speciale contact met de collega's misten. De reacties hierover waren erg enthousiast. Je aanwezigheid is vanzelfsprekend en samen aan het werk voelt toch weer anders dan samen koffie drinken en leuke dingen doen.

'Vrijwilligerswerk begint met de "V" van verplichting.'

Het is bij het vinden van een activiteit uiteraard geen wet van Meden en Perzen om iets met leeftijdgenoten te gaan doen. Ter afwisseling kan een gemengde groep ook heel leuk zijn. Er zijn senioren die graag met jongeren werken en een ander geniet weer meer van het contact met de echt ouderen.

Maak concrete afspraken

'We moeten nodig eens koffie drinken om bij te praten. Ja, leuk, doen we!' De eerste afspraak na zo'n gesprek ligt soms een jaar later. Niet doordat de opmerkingen niet gemeend zijn, maar doordat het er in de praktijk gewoon niet van komt.

'Zoek contact en neem initiatieven.'

De weken vliegen voorbij en vaak staat er al aardig wat op het programma. Een antwoord als 'Leuk, ik bel je vanavond om wat af te spreken' verandert deze situatie direct. Er wordt gebeld en er wordt een tijd afgesproken. De kans dat men twee weken later inderdaad zit bij te kletsen is vele malen groter. Neem rustig het initiatief om bij hartelijke ontmoetingen iets definitiefs af te spreken. De wil van de ander is er vaak wel, maar de weg moet soms even worden vrijgemaakt. Voor wie zich vaak alleen voelt, helpt een afspraak ook om de week wat vrolijker in te gaan. Het voelt gewoon beter als er bijvoorbeeld op dinsdagmorgen en vrijdagmiddag iets leuks gepland staat. Je hebt dan vast iets om naar uit te kijken.

Zelf iets organiseren

Vindt u tussen hetgeen u wordt aangeboden niets van uw gading en heeft u een voortvarend karakter, denk er dan eens over om zelf initiatieven te ontplooien. Misschien vindt u een paar mensen die met elkaar regelmatig een uurtje willen wandelen of fietsen. Ook kunt u kookfanaten samenbrengen om per toerbeurt bij elkaar te eten. Met anderen een dag op stap met de camera is ook een leuke vorm van contact. Mensen die graag wat met gelijkgestemden willen ondernemen zijn er genoeg, maar iemand moet wel het initiatief nemen om hen samen te brengen.

Een oproep plaatsen

Regelmatig lees je kleine advertenties met oproepen; bij de supermarkt, in de krant en in zeer grote aantallen op internet. Dit laatste medium biedt echt heel veel mogelijkheden. Wie op de computer de zoekwoorden 'gezocht' en 'wandelmaatje' intikt, ziet direct 659 relevante berichten verschijnen. Wanneer de zoekactie wordt verfijnd door toevoeging van het woord 'Rotterdam', blijven er 74 reacties over. Wie zelf niet over een computer beschikt, kan misschien met behulp van iemand anders een oproep plaatsen of samen op het web rondstruinen op zoek naar geestverwanten. Voor iedere interesse zijn er speciale websites waar mensen elkaar kunnen vinden. De kans dat u via internet succes heeft, is vele malen groter dan via alle andere kanalen.

'In de loop der jaren kreeg ik een andere vriendenkring.'

Uit het oog geraakte contacten

Bijna iedereen heeft ze wel: vrienden en familieleden die je in de loop der jaren uit het oog bent verloren. Soms door een verhuizing, maar ook wel doordat er met een stel kinderen en een drukke baan weinig tijd overbleef om bij elkaar op bezoek te gaan. Wie nu wel alle tijd heeft maar te weinig mensen ziet, kan ook eens in deze richting denken. Veel mensen reageren enthousiast als ze een berichtje ontvangen van iemand die ze jaren niet gezien hebben. Bij een herhaalde kennismaking komen allerlei herinneringen boven en er valt natuurlijk heel wat bij te praten. Voor sommigen gaat zo'n speurtocht terug tot

in de jeugd, waardoor er weer contacten worden gelegd met vroegere school-
maatjes. De website www.schoolbank.nl is daardoor ontzettend populair.
Het op touw zetten van een reünie met oud-klasgenoten, ex-collega's, dienst-
makkers of clubgenoten kan ook de nodige contacten en activiteiten opleveren.
De organisatie daarvan vergt wel aardig wat inspanningen en uurtjes. Eerst
één of meerdere medestanders opsporen is daarom wel zo praktisch en ook een
stuk leuker natuurlijk.

Problemen met het maken van contact

Nieuwe mensen ontmoeten, leuke gesprekken voeren: veel mensen willen dit
graag, maar niet iedereen is ertoe in staat. Soms vormen problemen bij het
maken van contacten een enorme drempel om iets nieuws te ondernemen. Op
het werk verlopen contacten vaak vanzelfsprekend, je hebt immers het werk
om over te praten.

'Ik miste vooral de zakelijke contacten.
Bij veel bedrijven kwam ik al jarenlang over de vloer.'

In de privé-sfeer ligt dat heel anders. Het voelt niet prettig als je in gezelschap
gespannen zit te bedenken hoe je een gesprek moet openen. Voor wie te kampen
heeft met een dergelijke onzekerheid is de kans op een spontaan contact ook
direct een stuk kleiner. Als je dan ook nog alleen ergens op af moet stappen
is de keuze snel gemaakt en blijf je maar liever thuis. Veel mensen kennen in
gezelschap een vorm van verlegenheid. Soms speelt dit al vanaf de kinderjaren
of de pubertijd. Door emotionele ervaringen kan een dergelijke handicap ook
ineens ontstaan. De verlegenheid slaat toe zodra we ons onzeker voelen in het
bijzijn van anderen. Twijfels over ons uiterlijk of over de manier waarop we ons
presenteren zorgen ervoor dat we ons op de achtergrond houden of erger nog:
een kleur krijgen, gaan stotteren of helemaal dichtklappen en geen woord meer
kunnen uitbrengen.

Kijk de kunst af

Hoe doen anderen dat dan? Beschikken zij over een speciaal talent? Waarschijnlijk niet, maar hun zelfvertrouwen en het vertrouwen in de medemens is
meestal wel wat groter. Bent u niet al te onbevangen van aard, dan kunt u dit
niet zomaar veranderen. Wel kan het helpen eens te analyseren hoe de mak-
kelijke praters van start gaan. Let daar eens op in winkels, in de trein of in de
wachtkamer. In de meeste gevallen begint een gesprek tussen vreemden op
een veilig niveau, waaraan niemand zich een buil kan vallen. Het is een beetje
aftasten van elkaar en echt diepzinnig gaat het er daarbij niet aan toe. Is eenmaal een aantal zinnen gezegd, dan volgt de rest vaak vanzelf. Over echt mooie

volzinnen of interessante onderwerpen hoeft u zich dus niet meteen druk te maken. 'Warm voor de tijd van het jaar, vindt u ook niet?' 'Wat een drukte op de weg vanochtend' en 'Woont u hier in de buurt?' Om zult soort zinnen gaat het meestal. Het ijs moet een beetje gebroken worden en daarbij mag af en toe best een stilte vallen.

Bent u bang dat een ander u misschien niet interessant, geleerd of creatief genoeg vindt, bedenk dan dat u het helemaal niet over uzelf hoeft te hebben. Veel mensen reageren enthousiast als een ander belangstellend een vraag stelt. Door uw aandacht op de ander te richten heeft u minder gelegenheid om u af te vragen hoe u zelf overkomt. Bij een gesprek met een kind of met een zieke doen we dit meestal ook niet en een dergelijke situatie levert in de regel ook minder problemen op. Als u iemand wat beter heeft leren kennen, heeft u het ergste gehad en voelt u zich misschien wat vrijer om ook wat over uzelf te vertellen.

VVM (Vereniging voor Verlegen Mensen)

Voor mensen die door hun verlegenheid steeds maar weer belemmerd worden in de dagelijkse omgang met anderen, kan contact met lotgenoten een verademing zijn. Via de VVM worden cursussen gegeven in kleine zelfhulpgroepen. Door inzicht in de problemen en door een juiste aanpak wordt men stapje voor stapje weer op weg geholpen. Om te oefenen worden regelmatig leuke uitjes georganiseerd, waarbij niemand ervan opkijkt als je niet direct een vlot gesprek begint. Deze activiteiten bieden een beschermde gelegenheid om na lange tijd weer eens ontspannen te genieten van een etentje, een avondje bowlen of een gezamenlijke stadswandeling. De uitstapjes en cursussen zijn niet verplicht, maar worden wel aangeraden om het geleerde in de praktijk te brengen. De leeftijd van de deelnemers varieert van achttien tot tachtig jaar.

Het lidmaatschap kost circa € 20 per jaar. Leden ontvangen zes maal per jaar het blad *Onder de Mensen*, met artikelen, cursussen, activiteiten en oproepen om contact te maken in de eigen woonomgeving. Leden kunnen via het blad ook een theorieboek en een werkboek bestellen. De gradatie van verlegenheid bij de leden is heel divers en varieert van 'ik zou wel eens wat vlotter met anderen willen praten' tot 'ik kan geen woord uitbrengen in gezelschap'.

Financiën met kleine en grote beurs

Wie stopt met werken doet financieel meestal een stapje terug. In veel gevallen is dat niet direct een probleem, want senioren rond de zestig hebben vaak een redelijk tot goed inkomen. In grote lijnen wordt gesteld dat zeventig procent van het laatstgenoten salaris voldoende is om mee rond te komen. Is het inkomen lager, dan spreekt men van een pensioen- gat. Of dit in de praktijk zo wordt ervaren, is uiteraard afhankelijk van de uitgaven. Hoe staat het bijvoorbeeld met de woonlasten? Bij een forse hypotheek of huur is deze zeventig procent hoogstwaarschijnlijk te krap. Bij een zo goed als afbetaalde hypotheek zien de financiën er direct een stuk zonniger uit. Is er sprake van kinderen, dan zijn deze meestal de deur uit en ook dat scheelt behoorlijk. Vooral studerende kinderen vormen een ste- vige aanslag op de portemonnee. Verder is een en ander afhankelijk van de individuele wensen. Waar de één droomt van een dure vakantie op IJsland zit de ander gelukzalig met een wijntje en een puzzelboekje op 'Balkonia'.

Wie regelt wat?
Bent u samen, dan verzorgt misschien een van u beiden de financiële zaken. Is dit het geval, houd dan in gedachten dat er een dag kan komen waarop de ander dat moet overnemen. In een dergelijke situatie is het heel vervelend om onvoorbereid ineens van alles en nog wat te moeten regelen. Maak een duidelijk overzicht van wat er in dat geval van belang is. Welke (spaar)rekeningen zijn er, hoe regel je de overschrijvingen, waar staan de pincodes en toegangscodes voor telebankieren. Wie al deze zaken (zo nodig met een korte handleiding) op papier zet, bespaart de ander een hoop narigheid in onvoorziene omstan- digheden. Als u toch bezig bent, is een overzicht van de lopende verzekeringen wel zo praktisch. Informeer bij de bank hoe toegankelijk de rekeningen zijn als een van de partners overlijdt. Ook aan een gezamenlijke rekening zijn voor- waarden verbonden.

Woont u alleen, dan zal iemand anders uw zaken moeten regelen als u daar zelf niet meer toe in staat bent. Dat kan zijn omdat u overleden bent, maar ook omdat u door een ziekte zelf niets meer kunt. Vooral in het laatste geval is het wel zo prettig als u een vertrouwenspersoon heeft aangewezen die van uw financiële situatie op de hoogte is.

Breng uw financiën in kaart

Valt het te besteden budget na het afscheid een stuk lager uit, dan vormt een goed financieel overzicht een stevige ruggensteun. Dagelijkse beslissingen over de uitgaven kunnen dan weloverwogen worden genomen. Heeft u genoeg te besteden, dan kan een dergelijk overzicht ook nuttig zijn. Het potje voor leuke dingen ligt dan duidelijk vast, zodat u daar zorgeloos van kunt genieten. Op een goed overzicht staan al uw inkomsten en uitgaven over één jaar duidelijk op papier. Zaken als woonlasten, energiekosten, gemeentelijke heffingen, telefoonkosten en abonnementen vindt u zonodig terug op uw bankafschriften. Maak indien mogelijk ook een schatting van de kosten van bijvoorbeeld brandstof, verjaardagen en andere steeds terugkerende uitgaven.

Tel alles bij elkaar op en trek de uitgaven van de inkomsten af. De uitkomst hiervan gedeeld door twaalf geeft een redelijk betrouwbaar beeld van wat u per maand te besteden heeft aan boodschappen en overige zaken. Wilt u weten hoeveel u hiervoor gemiddeld nodig heeft, houd dan een aantal maanden bij wat u uitgeeft. Een potje onvoorziene omstandigheden in het overzicht is wel zo veilig.

'Zorg ervoor dat je allebei op de hoogte bent van de geldzaken. Het is niet prettig om met een vreemde aan de keukentafel je financiën te moeten regelen.'

Bezuinigen

Is uw maandelijkse budget aan de krappe kant, kijk dan in welke kosten u kunt snoeien. Zaken als abonnementen op kranten en tijdschriften, lidmaatschappen en allerhande giften kunnen bij elkaar een aardige aanslag vormen op uw (krappe) budget. Geneer u niet om dingen af te zeggen. Misschien heeft u jarenlang met een goed hart bijgedragen en is het nu de beurt aan anderen. Maak ook een schatting van het bedrag dat u jaarlijks aan cadeaus uitgeeft. Zit u krap bij kas, dan zijn de bekende envelopjes misschien te vervangen door wat persoonlijker en minder kostbare cadeautjes.

Energie

Bedenk ook of er te besparen valt op het energiegebruik. Er bestaan diverse folders met uitgebreide en nuttige tips en ook op de websites van energieleveranciers vindt u daarover de nodige informatie. U wordt daarin echt niet geadviseerd om in de kou en in het donker te gaan zitten. Wel vindt u tips over bijvoorbeeld sluipverbruik door stand-bylampjes, de juiste wastemperatuur, slim stoken en andere nuttige onderwerpen. De gemiddelde besparingen worden erbij vermeld.

Ook op de dagelijkse boodschappen valt met wat kunst en vliegwerk het nodige te besparen. Bent u, omdat u zelf moest koken na uw werk, meer en meer overgestapt op kant-en-klare producten, kijk dan weer eens kritisch naar de prijs. Gemak smaakt bovendien ook niet altijd beter.

'Zomaar op dinsdagmiddag naar de markt.'

Bent u van nature een luxepaardje, waag dan toch eens een uitstapje naar de goedkopere supermarkt. Onbekende merken hoeven niet per definitie minder te zijn. Probeer gewoon het een en ander uit en trek uw conclusies. In combinatie met uw vertrouwde winkel hoeft u uw favoriete aankopen niet direct te missen. Misschien ontdekt u ergens anders een aantal prima nieuwe producten, die ook nog eens goed betaalbaar zijn. Heeft u de tijd om regelmatig verschillende winkels aan te doen, dan kunt u met een beetje geluk profiteren van de echte 'klantentrekkers'. Koop niet te veel niet-houdbare producten tegelijk in. Een gemiddeld gezin gooit in Nederland € 330 per jaar aan bedorven voedsel in de vuilnisbak. Denkt u dat dat bij u wel meevalt, noteer dan eens een maand lang wat u weggooit. Misschien is het meer dan u in eerste instantie dacht. Als u met de auto boodschappen doet, let dan wel op de bijkomende kosten, zodat uw winst niet teniet wordt gedaan door brandstof en parkeergelden.

Minder tanken

Bent u in het bezit van een auto, dan is een besparing op brandstof snel gemaakt. Hoe hoger de snelheid, hoe hoger het verbruik. Tussen een constante snelheid van 100 en 120 km/uur is het verschil gemiddeld wel twintig procent! Ook een al te woeste rijstijl kost geld. Trek rustig op en schakel eerder over naar een hogere versnelling. Een loeiende motor slurpt brandstof. Een te lage bandenspanning verhoogt ook onnodig het verbruik.

Een zuinig belletje

Telefoneert u regelmatig, vergelijk dan eens de tarieven van de verschillende maatschappijen. Vooral bij telefoneren naar het buitenland kan dit een aardige besparing opleveren. Maak, indien van toepassing, zo mogelijk gebruik van de goedkopere daluren. Kijk ook eens naar het prijsverschil tussen bellen van vast naar mobiel en van mobiel naar mobiel.

Tweedehands

Zelfs voor mensen met genoeg geld is het vaak een geweldige hobby: struinen op de tweedehands markt. Voeger kon dat alleen op straat of in de kringloopwinkels, maar tegenwoordig gebeurt dat op veel grotere schaal via internet.

Soms zelfs nog nieuw in de verpakking worden daar de meest uiteenlopende zaken aangeboden voor een prijs die een stuk lager ligt dan in de winkel. Niet alleen fijn voor uw portemonnee, maar ook voor het milieu.

De Wet bijzondere bijstand

Is uw inkomen minimaal en ziet u geen kans om noodzakelijke uitgaven voor bijvoorbeeld een bril of een wasmachine te bekostigen, dan kunt u een beroep doen op de Wet bijzondere bijstand. Bijzondere bijstand is geen liefdadigheid, zoals de naam suggereert, maar een bij de wet vastgestelde subsidie. Toch zijn er veel mensen die, zelfs in grote financiële nood, hierop liever geen beroep doen. Vooral ouderen moeten een enorme drempel over, want armoe was vroeger een schande en je vuile was hang je niet buiten.

Als u voor een bijzondere bijstandsuitkering in aanmerking komt, maak dan gebruik van uw rechten. De afdeling Sociale Zaken eet er geen boterham minder om. Ga niet over op de handwas als uw wasmachine het begeeft. Laat niet uw stukje vlees bij de maaltijd vervallen omdat u uw eigen bijdrage voor de thuiszorg niet kunt betalen. U heeft recht op een éénmalige of maandelijkse uitkering bij niet-alledaagse kosten voor noodzakelijke dingen die u zelf niet kunt betalen.

Voorwaarden

Uw inkomen moet beneden een bepaalde grens blijven en deze grens ligt niet al te hoog. Met een klein pensioen komt u daar al gauw bovenuit. Bezit u een eigen vermogen, bijvoorbeeld in de vorm van spaargeld, dan komt u ook niet in aanmerking. Elke gemeente mag zelf haar voorwaarden voor de bijzondere bijstand vaststellen. Vraagt u zich af of u in aanmerking komt voor een bijdrage, dan kunt u om te beginnen telefonisch informeren naar deze voorwaarden bij de Sociale Dienst in uw woonplaats.

Welke uitgaven komen in aanmerking

De aanschaf van noodzakelijke huishoudelijke apparaten zoals de wasmachine. Uw televisie wordt niet als noodzakelijk gezien. Voor het vervangen van bijvoorbeeld meubels kan men jaarlijks een bedrag aanvragen. Dit bedrag verschilt per gemeente. Ook medische kosten die niet door uw ziektekostenverzekering worden vergoed, zoals tandartskosten, een gebit, uw eigen bijdrage thuiszorg, dieetkosten of een bril komen in aanmerking. Ook wanneer u gaat verhuizen kan bijzondere bijstand worden aangevraagd. Uitaven die al via een andere regeling of via uw ziektekostenverzekering worden vergoed komen uiteraard niet in aanmerking. Bijzondere bijstand wordt niet gekort op de AOW en ook uw huursubsidie komt niet in gevaar. Kosten die u via de bijzondere bijstand vergoed heeft gekregen mag u niet nog eens opvoeren op uw belastingaangifte.

Vanaf 65 jaar...

Wie de leeftijd van 65 bereikt, passeert daarmee een soort magische financiële grens. U ontvangt voortaan AOW en als u niet met vervroegd pensioen bent gegaan, dan is deze leeftijd ook de ingangsdatum van uw pensioenuitkering. Indien u een jongere partner heeft, ontvangt u voor hem of haar een AOW-toeslag. Heeft de jongere partner eigen inkomsten dan wordt hier weer op gekort. Werkt u nog, dan houdt u bij het verrichten van dezelfde arbeid netto ineens meer over. De tarieven voor inkomstenbelasting en premie volksverzekeringen worden lager en de heffingskortingen die van het bruto-inkomen afgaan worden ook weer anders.

Volledig of gedeeltelijk pensioen

Voor ieder jaar dat men via de werkgever heeft betaald aan een pensioenopbouw is 1,75 procent 'gespaard'. Na veertig jaar hoort dit gespaarde bedrag een pensioen uit te keren tot zeventig procent van het laatstgenoten salaris. Zo'n volledig pensioen wordt maar door zo'n zestig procent van de Nederlanders opgebouwd. De rest moet het met minder doen. Oorzaken van een onvolledig pensioen zijn het wisselen van werkgever, echtscheiding, een (tijdelijke) parttime baan, werkeloosheid of een verblijf in het buitenland.

Pensioenen in soorten en maten

De verschillende pensioenfondsen kennen een aantal verschillende pensioenregelingen. Van een aantal varianten vindt u hierna een korte omschrijving. Voor exacte informatie kunt u het best contact opnemen met uw eigen pensioenfonds.

Ouderdomspensioen

Het gespaarde ouderdomspensioen wordt uitbetaald vanaf 65-jarige leeftijd en stopt bij overlijden. Soms kan de pensioendatum worden vervroegd. De maandelijkse uitkering is dan wel lager en dat blijft ook zo. Ook uitstel is soms mogelijk. Het pensioenbedrag blijft daardoor tot aan het overlijden wat hoger.

Aanvullend 40-deelnemingsjarenpensioen

Het 40-deelnemingsjarenpensioen is een aanvulling op het gewone ouderdomspensioen. Wie op zijn 63ste veertig jaar pensioenpremie betaald heeft, kan met deze speciale regeling eerder met pensioen. Indien het ouderdomspensioen op die datum minder bedraagt dan zeventig procent van het laatstgenoten salaris, wordt het ontbrekende deel aangevuld door dit aanvullende pensioen.

Tijdelijk ouderdomspensioen

Een tijdelijk ouderdomspensioen is nog wel mogelijk, maar met de nieuwe wetgeving fiscaal niet meer aantrekkelijk. Deze pensioenvorm was bedoeld om één of meer jaren eerder met pensioen te gaan. De periode tot 65 jaar, waarin men nog geen AOW ontvangt en waarin een hogere belasting wordt betaald, wordt overbrugd met een tijdelijke aanvulling op het gewone ouderdomspensioen.

Prepensioenregeling

Een prepensioen treedt, zoals het woord al zegt, eerder in werking dan het officiële pensioen met 65 jaar. Prepensioenregelingen bestonden vaak ter vervanging van de VUT-regeling. Een tijdelijk prepensioen is nog wel mogelijk, maar is net zoals het tijdelijk ouderdomspensioen door de veranderingen in de wet niet meer aantrekkelijk.

Nieuwe regels

Voor alle na 1 januari 2005 ingestelde pensioenregelingen gelden nieuwe wettelijke regels. Voor regelingen die op die datum al bestonden, gelden nieuwe regels vanaf 1 januari 2006. Wie al een vervroegd pensioen heeft opgebouwd, kan deze op de eerder geplande ingangsdatum gewoon in laten gaan. Men kan ook kiezen voor een regeling waarbij de waarde van dat pensioen doorschuift naar het ouderdomspensioen vanaf 65 jaar of naar de zogenoemde 'levensloopregeling'. Iedere pensioenregeling biedt weer andere mogelijkheden. Uw pensioenfonds (of eventuele werkgever) kan u daar meer over vertellen. Wie op 1 januari 2005 55 jaar of ouder was, kan zijn of haar pensioenregeling in overleg met de werkgever voortzetten, maar niet alles blijft automatisch ongewijzigd.

Nabestaandenpensioen

Nabestaandenpensioen wordt na overlijden uitgekeerd aan de achterblijvende partner en/of aan de achterblijvende kinderen. Na een echtscheiding houdt de ex-partner recht op het nabestaandenpensioen dat tot de datum van echtscheiding is opgebouwd. In overleg met de (ex-)partner kan het opgebouwde nabestaandenpensioen worden ingeruild tegen een hoger of een eerder ingaand ouderdomspensioen.

Nabestaandenpensioen op risicobasis

Dit pensioen betaalt alleen uit aan de nabestaanden gedurende de periode dat er premie wordt betaald. Wanneer de premiebetaling stopt, is men niet langer verzekerd.

Partnerpensioen

Dit pensioen wordt aan de partner uitgekeerd vanaf de datum van overlijden tot aan het overlijden van de partner zelf. Vroeger kenden we dit pensioen onder de naam weduwe- of weduwnaarspensioen. Of het pensioenfonds ook uitkeert aan een ongehuwde partner en wat de voorwaarden daarvoor zijn, vindt u in uw pensioenvoorwaarden omschreven.

Tijdelijk partnerpensioen

Naast het gewone partnerpensioen kennen sommige regelingen ook het tijdelijke partnerpensioen voor een achterblijvende partner jonger dan 65.

Arbeidsongeschiktheidspensioen

Dit pensioen, bedoeld als aanvulling op de WAO, eindigt op 65-jarige leeftijd. Wie maar gedeeltelijk arbeidsongeschikt is, ontvangt ook maar een gedeeltelijke aanvulling.

Hoe hoog (of laag) is de AOW

Ontvangt u nog geen AOW, dan vindt u hieronder ter indicatie de bedragen en vakantie-uitkeringen per maand, zoals deze vermeld werden op de website van de SVB in januari 2007. Het vakantiegeld wordt jaarlijks in mei uitbetaald.

AOW

Alleenstaanden vanaf 65 jaar:
bruto € 970.00
vakantie-uitkering bruto € 54,36

Samen, beiden 65 jaar of ouder
totaal bruto € 1.335,10
vakantie-uitkering bruto € 77,66

Samen, partner jonger dan 65, volledige (partner)toeslag
totaal bruto € 1.321.28
vakantie-uitkering bruto € 77,66

Samen, partner jonger dan 65 jaar zonder (partner)toeslag
bruto € 667,55
vakantie-uitkering bruto € 38,83

Korting AOW-toeslag bij partner jonger dan 65

Korting op de toeslag voor de partner jonger dan 65 hangt af van zijn of haar inkomen. Voor inkomsten uit arbeid geldt dat de eerste € 192,69, plus eenderde deel van de inkomsten boven dat bedrag, niet worden meegeteld. Ontvangt de partner meer dan € 641,12 per maand, dan vervalt de toeslag. Inkomsten zoals een arbeidsongeschiktheidsuitkering of vervroegd pensioen worden helemaal van de toeslag afgetrokken, totdat de jongere partner 65 is. Een jongere partner die jarenlang heeft gespaard voor een vervroegd pensioen houdt daardoor niet meer over dan een jongere partner, die nooit een cent aan pensioenopbouw heeft betaald. De toeslag voor de partner jonger dan 65 gaat verdwijnen. Wie op of na 1 januari 2015 de leeftijd van 65 jaar bereikt, ontvangt helemaal geen toeslag meer voor een jongere partner.

AOW en samenwonen

Bij het vaststellen van de AOW-uitkering wordt gekeken in welke categorie u valt: alleenstaand, alleenstaande ouder of gehuwd. Onder de categorie gehuwd valt ook iedereen die samenwoont. Ook twee vriendinnen die voor de gezelligheid gaan samenwonen krijgen niet langer allebei een eigen AOW-uitkering. Heeft u beiden nog een eigen huis maar een lat-relatie, pas dan op. Als men denkt dat u de wettelijke regels overschrijdt, kan dat u uw zelfstandige AOW-uitkering kosten. U loopt dan het risico niet langer ieder rond de € 950 voor alleenstaanden te ontvangen, maar samen rond de € 1.300.

Meer informatie hierover vindt u in het hoofdstuk 'Single of samen' onder 'financiële consequenties'. Als u met uw eigen kind of met uw vader of moeder een gezamenlijke huishouding voert, wordt u wel als alleenstaand beschouwd.

Heeft u in het buitenland gewoond?

Heeft u tussen uw vijftiende en uw vijfenzestigste in het buitenland gewoond, dan ontvangt u een lagere AOW-uitkering. Voor ieder jaar dat u niet in Nederland heeft gewoond, krijgt u twee procent van het AOW-bedrag minder.

Bent u op latere leeftijd in Nederland komen wonen of heeft u een aantal jaren in het buitenland gewerkt, dan is het bedrag dat u aan AOW ontvangt dus lager. Er bestaat een speciale bijstandsregeling voor mensen met een lagere AOW. De bedoeling is dat hiermee het AOW-bedrag wordt aangevuld tot het normale tarief.

AOW in het buitenland

Wie zich na zijn 65ste in het buitenland vestigt in een bij de Europese Unie aangesloten land, blijft daar gewoon zijn AOW-uitkering en pensioen ontvangen. Dit geldt ook voor vestiging op Aruba of op de Nederlandse Antillen. Ook zijn er nog een aantal andere landen waarbij dit het geval is. Deze landen hebben een speciaal verdrag gesloten met Nederland. Wie zich vestigt in een land waarbij dat niet het geval is, ontvangt geen AOW-toeslag voor een partner die jonger is dan 65 jaar. Het is dan namelijk niet mogelijk te controleren of uw partner wel of niet eigen inkomsten heeft of dat men echt samenwoont. De Nederlandse overheid heeft daarom de Wet beperking export uitkeringen (BEU) in het leven geroepen. Alleen als er goede afspraken zijn met andere landen, kan fraude met uitkeringen worden voorkomen.

De belastingdienst

In samenwerking met de seniorenbonden werd door de belastingdienst in de afgelopen jaren een uitgebreide campagne gevoerd. Senioren werd daarin gewezen op het onbenut laten van het recht op belastingteruggave. Jaarlijks lopen zij daardoor met elkaar tientallen miljoenen euro's mis. Door de inspanningen van 1200 speciaal opgeleide vrijwilligers bij de verschillende bonden ontvangt de belastingdienst over het jaar 2004 naar schatting veertigduizend extra aangiften.

Verschil in heffingskortingen voor en na 65

Om jaarlijks uw belastbaar inkomen vast te stellen worden op het bruto-jaarinkomen diverse zaken in mindering gebracht (in uw voordeel dus). De hypotheekrente bijvoorbeeld, maar ook een aantal zogenoemde heffingskortingen. Deze worden van uw totale bruto-inkomen afgetrokken (deze heffingskortingen hebben niets te maken met de kortingen op de AOW-toeslag voor een partner jonger dan 65 jaar). De belastingdienst vermeldt op zijn website in december 2006 de volgende bedragen:

Heffingskortingen

Heffingskortingen vanaf 65 jaar:
Algemene heffingskorting: € 948
Arbeidskorting: € 998
(bij arbeid, winst uit onderneming of andere resultaten)
Ouderenkorting: € 374
(bij een verzamelinkomen beneden de € 31.256)
Alleenstaande ouderenkorting: € 562
(bij AOW-uitkering voor alleenstaanden)

Heffingskortingen tot 65 jaar:
Algemene heffingskorting: € 1.990
Arbeidskorting naar leeftijd
tot 57 jaar: € 1.357
57, 58, of 59 jaar: € 1.604
60 of 61 jaar: € 1.849
62 jaar en ouder: € 2.095

Er bestaan ook nog diverse heffingskortingen voor mensen met nog niet-zelfstandige kinderen, maar die zijn hier buiten beschouwing gelaten.

Tarieven inkomstenbelasting

Ook de tarieven voor de inkomstenbelasting en de premies volksverzekeringen veranderen bij het passeren van de 65-grens. De bedragen zijn overgenomen van de website van de Belastingdienst in december 2006.

Tarieven inkomstenbelasting 2006

Totaaltarieven belastbaar inkomen vanaf 65 jaar:
tot € 17.046: 16,25%
€ 17.047 t/m € 30.631: 23,55%
€ 30.632 t/m € 52.228: 42%
vanaf € 52.229: 52%

Totaaltarieven belastbaar inkomen beneden 65 jaar:
tot € 17.046: 34,15%
€ 17.047 t/m € 30.631: 41,45%
€ 30.632 t/m € 52.228: 42%
vanaf € 52.229: 52%

Voor 65-plussers is het tarief in de eerste twee schijven van box 1 aanmerkelijk lager. Zij betalen namelijk geen premie AOW meer over hun inkomsten. Het tarief van de premie volksverzekeringen valt daardoor lager uit dan voor personen jonger dan 65.

De tarieven worden stapsgewijs verhoogd, dus in bijvoorbeeld het laatste geval worden er vier tarieven gehanteerd en dus niet 52 procent over de hele € 52.229.

Nalaten of schenken

'Met een warme hand is het beter schenken dan met een koude.' Een wat bizarre uitdrukking die menig ouder doet besluiten om alvast bij leven een gedeelte van de toekomstige erfenis aan de kinderen te schenken. Overweegt u zelf ook om geld of goederen te schenken aan kinderen, overige familieleden of goede doelen, laat u dan eerst goed informeren over de voor- en nadelen. Misschien wordt u wel 95 en koopt u met tachtig jaar nog een nieuwe auto. Het kan ook zijn dat u later geld nodig heeft voor bijvoorbeeld aanpassingen in de woning of omdat u toch nog graag wilt gaan reizen. Op zo'n moment heeft u er misschien spijt van dat u niet wat meer achter de hand heeft gehouden.

Het verschil in belasting tussen schenken en erven bestaat wel degelijk, maar is minder groot dan vaak wordt gedacht. Wanneer uw nabestaanden uw huis, geld of andere waardevolle bezittingen erven, moeten zij daarover successierechten betalen. Hoe verder de erfgenaam van u afstaat, hoe meer dat is. Erven de kinderen, dan betalen zij minder dan bijvoorbeeld neven en nichten. De omvang van de erfenis is medebepalend voor het bedrag dat moet worden betaald aan successierechten. Ditzelfde verhaal geldt in grote lijnen ook voor schenkingen.

Belastingvrije grens

Zowel voor erfenissen als voor schenkingen geldt een belastingvrije grens. Voor kinderen vanaf 23 jaar die erven, was deze grens in 2006 € 8.680 (voor jongere kinderen die erven gelden andere bedragen). Bij schenkingen was deze grens voor de kinderen € 4.342. Het lijkt nu of nalaten gunstiger is dan schenken, maar er is toch een duidelijk verschil te noemen. Bij schenken mag u jaarlijks een belastingvrij bedrag cadeau doen. Schenkt u bijvoorbeeld tien achtereenvolgende jaren € 4.342 dan kunt u op deze manier € 43.420 belastingvrij schenken.

Wanneer een kind tussen de achttien en vijfendertig jaar oud is, kan door de ouder daarnaast nog eens éénmalig een bedrag van € 21.700 worden geschonken. Boven de vijfendertig jaar kan dit ook wanneer het kind een echtgenoot of echtgenote heeft tussen de achttien en vijfendertig jaar. Het kind moet op zijn of haar belastingaangifte aangeven een beroep te doen op deze eenmalige regeling.

De successierechten die een kind moet betalen over de erfenis zijn minder hoog dan vaak wordt gedacht. Over 2006 was dit boven de vrijstelling van € 8.680 een percentage van 5 procent voor de eerste € 21.703. Voor een bedrag daarboven tot € 43.013 was dat 8 procent. Over het eerste gedeelte blijft dan nog steeds de 5% van kracht. De kleinkinderen betalen meer aan successierechten. Voor erfenissen in 2006 gold een tarief over het eerste gedeelte van 8 procent en over het tweede gedeelte van 12,8 procent. Hoe verder de erfgenaam van de overledene afstaat, hoe hoger de successierechten zijn. Bij broers en zussen is het laagste tarief 26 procent en 'goede doelen' moeten tot € 21.703 een percentage van 41 procent betalen.

Wanneer de gever zelf belasting betaalt over het bedrag dat hij of zij schenkt, wordt de schenking vrij van rechten. De gever heeft hier fiscaal voordeel bij en de ontvanger betaalt dan geen belasting meer over het ontvangen bedrag. De ontvanger hoeft geen aangifte te doen.

180-dagen regeling

Om te voorkomen dat in het zicht van overlijden nog snel een vermogen wordt geschonken, heeft de fiscus de zogenoemde '180-dagen regeling' in het leven geroepen. Schenkingen gedaan binnen een periode van 180 dagen vóór het overlijden van de schenker worden alsnog bij de nalatenschap opgeteld. Uitgezonderd hiervan is het bedrag voor de éénmalige vrijstelling voor kinderen tussen de achttien en vijfendertig jaar. Eventueel betaalde schenkingsrechten kunnen worden verrekend met de te betalen successierechten.

Giften bundelen

Giften aftrekken van de belasting kan alleen als het totaalbedrag aan giften per jaar boven een bepaalde grens uitkomt. Deze grens ligt op één procent van uw zogenoemde drempelinkomen. Alleen het gedeelte dat boven die één procent uitkomt is aftrekbaar. Het drempelinkomen bepaalt u door de inkomsten van Box 1, 2 en 3 bij elkaar op te tellen, zonder dat u daarbij rekening houdt met persoonsgebonden aftrekposten. Het drempelinkomen van een eventuele fiscale partner moet daarbij ook nog worden opgeteld.

Schenkt u ieder jaar geld aan goede doelen en blijft u daarmee onder de één procent van uw drempelinkomen, dan kunt u overwegen om voortaan eens in de drie jaar een groter bedrag te schenken.

Voorbeeld niet-aftrekbare giften

- uw drempelinkomen is € 20.000
- in één jaar schenkt u € 180
- de schenking komt niet boven de één procent van € 20.000
- de schenking is niet aftrekbaar

Voorbeeld gedeeltelijk aftrekbare giften

- uw drempelinkomen is € 20.000
- eens in de drie jaar schenkt u € 540
- de schenking is € 340 hoger dan de één procent van € 20.000
- de schenking is gedeeltelijk aftrekbaar (€ 340 van de € 500)

Het maximale bedrag dat aftrekbaar is, bedraagt tien procent van uw drempelinkomen. In het voorbeeld is dat dus € 2.000.

Notariële akte

Schenkt u roerende zaken, geld of aandelen in beursgenoteerde bedrijven, dan is geen notariële akte nodig. Raadpleeg voor overige schenkingen de notaris.

Huursubsidie

Huursubsidie is een bijdrage van de overheid. Rond de één miljoen Nederlanders komen ervoor in aanmerking. Niet iedereen maakt daar gebruik van en dat is jammer, want het kan jaarlijks een flink bedrag aan inkomen schelen. Om vast te stellen of u wel of niet in aanmerking komt voor huursubsidie, kunt u zich het best wenden tot uw gemeente of uw woningbouwvereniging. Zij kunnen aan de hand van uw persoonlijke gegevens uitrekenen of u recht heeft op een bijdrage.

Inkomensgrens huursubsidie 2006

eenpersoonshuishoudens:
18 t/m 64 jaar: € 20.000
65-plus: € 17.950
meerpersoonshuishoudens:
18 t/m 64 jaar: € 27.175
66-plus: € 23.825

Vermogensgrens huursubsidie 2006

een- en meerpersoonshuishoudens (per persoon):
jonger dan 65: € 19.698
65-plus, inkomen tot € 13.326: € 45.774
65-plus, inkomen van € 13.326 t/m € 18.539: € 32.736
65-plus, inkomen hoger dan € 18.539: € 19.698

Van VROM naar Belastingdienst

Om in aanmerking te komen voor huursubsidie moet u aan een aantal voorwaarden voldoen. Het inkomen en het eigen vermogen mogen bijvoorbeeld niet boven een bepaalde grens uitkomen. Tot nu toe keek men voor het vaststellen van deze bedragen naar het jaar voorafgaand aan de huurperiode, maar vanaf 1 januari 2006 is dit anders geregeld. De organisatie loopt voortaan niet meer via de VROM maar via de Belastingdienst. Daarbij wordt uitgegaan van de actuele bedragen. Deze kunnen in de loop van het jaar door allerlei oorzaken veranderen. Uw inkomen kan stijgen of dalen en ook uw vermogen kan groter of kleiner worden.

Pas na indiening in 2007 van de belastingaangifte over 2006 wordt gekeken of u al dan niet te veel of te weinig huursubsidie heeft ontvangen. Het kan dus zijn dat u een jaar later uw ontvangen subsidie (gedeeltelijk) moet terugbetalen of dat u alsnog een bedrag aan subsidie ontvangt. De inkomensgrens om voor huursubsidie in aanmerking te komen verandert zodra iemand 65 jaar wordt. Afhankelijk van een een- of meerpersoonshuishouden gaat deze grens met € 2.050 of met € 3.350 omlaag. Ook de vermogensgrens verandert zodra men 65 wordt. Bij bijvoorbeeld een inkomen tot € 13.326 geldt vanaf 65 jaar een heffingsvrij vermogen van € 45.774. Onder de 65 jaar was dit voor 2006 een bedrag van € 19.698.

'Vooral (laten) nagaan of de uitkering wel klopt.'

Minimale en maximale huurprijs 2006

U kunt voor huursubsidie in aanmerking komen als uw huur tussen de € 195,89 en de € 615,01 per maand ligt. Daarbij mogen per soort service nog circa € 12,00 worden bijgeteld (lift, huismeester, schoonmaak trappenhuis en dergelijke).

Genoemde bedragen zijn overgenomen van de website *www.toeslagen.nl* van de Belastingdienst in december 2006. Naast deze informatie worden daarbij nog aanvullende voorwaarden en uitzonderingsregels vermeld.

Baan(tje) erbij onder de loep

Weer aan het werk? De een moet er niet aan denken, maar voor de ander is het zijn lust en zijn leven. Het aantal senioren dat na het bereiken van de VUT- of pensioengerechtigde leeftijd weer betaald aan de slag gaat, neemt toe. Het aantal uren dat wordt gewerkt ligt tussen de twaalf en achttien per week. Lichamelijke arbeid wordt weinig meer verricht, maar verder vind je de senioren in de meest uiteenlopende beroepsgroepen. De bijverdiensten zijn meegenomen, maar meestal niet de grootste drijfveer om weer aan de slag te gaan. Het gevoel van betrokkenheid bij de maatschappij en het contact met de collega's tellen zwaarder. 'Je hoort er weer bij', verklaarde een vrouwelijke suppoost enthousiast.

Voor senioren die na het afscheid iets blijven missen zonder werk en zonder collega's, zijn er diverse mogelijkheden om weer (parttime) aan de slag te gaan. Het animo hiervoor neemt steeds meer toe en ook bij Uitzendbureau 65+ is deze tendens merkbaar: vraag en aanbod zijn in de afgelopen jaren flink gestegen. Wel moet je echt 65 jaar of ouder zijn om je daar te kunnen inschrijven. Dit biedt namelijk zowel voor de werkgever als voor de werknemer de nodige financiële voordelen. De kans op een succesvolle bemiddeling is daardoor groter. Beschikbare banen die worden aangeboden zijn meestal parttime, en het niveau varieert van ongeschoold werk tot hbo-functies. De serieuze aandacht en het enthousiasme waarmee de senioren hun werk verrichten, worden door werkgevers alom geprezen. Daarbij komen ze in de regel ook nog eens keurig op tijd.

'Na een paar jaar heb ik weer een baantje gezocht.
Al die clubjes gingen me vervelen.'

De financiële consequenties

Afhankelijk van uw leeftijd en het soort inkomen kunnen extra verdiensten wel eens minder voordelig uitvallen. Wilt u weer aan de slag, dan doet u er goed aan om van te voren te (laten) bepalen wat u precies overhoudt aan uw inspanningen. Allerlei factoren spelen daarbij een rol. Belastingtarieven, heffingskortingen, de huursubsidie, de AOW-partnertoeslag en nog andere zaken kunnen van invloed zijn op de nettowinst die uw arbeid u uiteindelijk oplevert.

Langer blijven werken wordt gestimuleerd

Het is moeilijk te achterhalen hoe lang het woord 'vergrijzing' als rondwaart, maar inmiddels lijkt het een dagelijks onderwerp. Nederland vergrijst met alle gevolgen van dien en van alle kanten wordt er diep over nagedacht hoe dat straks allemaal moet. Langer blijven doorwerken is een van de oplossingen die wordt aangedragen. Het roer moet dus om. Nadat de senioren jarenlang vaak met een stevig duwtje in de rug naar huis zijn gestuurd, wordt nu het aanhouden of het weer aannemen van oudere werknemers van alle kanten gestimuleerd. Niet alleen in Nederland speelt de vergrijzing een rol. Ook op Europees niveau wordt over dit onderwerp druk overleg gepleegd. Daarbij worden de nodige afspraken gemaakt om binnen een bepaalde periode tot resultaten te komen. Wanneer Nederland in 2010 aan de EU-normen wil voldoen, moet tegen die tijd het aantal werkende mensen tussen de 55 en 65 jaar met 25 procent zijn toegenomen. Het kabinet heeft daartoe een aantal maatregelen in het leven geroepen:

Heffingskorting bij arbeid

Voor oudere werknemers in de groep van 57 t/m 64 jaar wordt het belastbaar inkomen met een hogere arbeidskorting verminderd. In 2006 is dat voor de leeftijd 57 t/m 59 jaar € 247 extra, voor 60- t/m 61-jarigen € 492 extra en voor 62 jaar en ouder € 738 extra. Eenmaal 65 daalt de arbeidskorting weer flink. In het hoofdstuk over financiën vind u meer informatie over de heffingskortingen.

'Ik werk twee à drie dagen via een uitzendbureau in musea. Het bridgen en de cursus Engels gaven mij niet de voldoening die ik in mijn werk vind. Daarnaast doe ik aan filosofie, een geweldige hobby.'

WAO-premie

Wie sinds 1 januari 2004 een werknemer in dienst neemt van vijftig jaar of ouder, hoeft voor hem of haar geen basispremie WAO meer te betalen. Voor werknemers die al in dienst zijn, geldt dit vanaf 55 jaar.

Sollicitatieplicht

Sinds 1 januari 2004 hebben ook werkelozen van 57,5 jaar en ouder de plicht om te solliciteren. In de praktijk vinden maar weinig mensen op deze leeftijd nog een vaste baan. Er wordt dan ook van alle kanten geprotesteerd tegen dit besluit.

Wet gelijke behandeling leeftijd

Sinds 2004 is het verboden om onderscheid te maken op grond van leeftijd bij zaken als werving, selectie, arbeidsvoorwaarden, scholing en ontslag. In de praktijk blijft het moeilijk om op oudere leeftijd een volledige baan te vinden: een afwijzing vanwege je leeftijd is moeilijk te bewijzen. Aanvullend zijn er nog stimulerende maatregelen als 'een leeftijdsbewust personeelsbeleid' en 'een degelijk beleid rond de arbeidsomstandigheden voor senioren'.

> *'Af en toe werk ik als drager bij een begrafenisonderneming.*
> *Het heeft niets met mijn vorige werk te maken.'*

Opheffing belastingvoordeel VUT- en prepensioen

Voor mensen die op 1 januari 2007 jonger zijn dan 57 jaar is sinds 2006 het belastingvoordeel voor VUT- en prepensioenregelingen vervallen. Opgebouwde rechten blijven wel bestaan: de tegoeden van het prepensioen kunnen belastingvrij naar de levensloopregeling worden overgeheveld.

> *'Na vier jaar thuiszitten en huishouden ontdekte ik in de*
> *stad het Uitzendbureau 65+. Uit nieuwsgierigheid stapte ik er*
> *eens binnen. Nu werk ik vaak in de ochtenden van september*
> *tot april. Ook financieel is dit voor mij aantrekkelijk. Wie*
> *nog gezond is en in aanmerking komt voor werk,*
> *moet hier zeker eens naar kijken.'*

De levensloopregeling

Deze regeling biedt de mogelijkheid om 'belastingvrij' te sparen voor vrije dagen. Werk en privé kunnen daardoor beter worden gecombineerd: het spaarsaldo kan worden gebruikt voor bijvoorbeeld ouderschapsverlof, een jaartje ertussenuit, maar ook om eerder te stoppen met werken. Bij opname moet over hetgeen men belastingvrij heeft gespaard wel weer loonbelasting worden afgedragen. Het beoogde voordeel kan daardoor zelfs omslaan in een nadeel.

Per jaar mag maximaal 12 procent van het brutosalaris belastingvrij worden gespaard. Over de inleg worden wel werknemerspremies betaald. Het maximum toegestane spaarbedrag is 210 procent van het laatstverdiende loon. Hiermee kan men afhankelijk van het opgebouwde tegoed drie tot vier jaar eerder stoppen met werken tegen 70 procent van het laatstverdiende salaris. Voor oudere werknemers geldt een overgangsregeling. Zij mogen meer sparen dan 12 procent van hun brutojaarsalaris.

De toekomst

'Gestopt op uw zestigste... wat jong opa, was u toen ziek?' Misschien kunnen we over twintig jaar dergelijke vragen verwachten van onze kleinkinderen. De tijden veranderen, maar de herzieningen in het hoofdstuk 'pensioengerechtigde leeftijd' zijn daarbij achtergebleven. De gemiddelde leeftijd is aanzienlijk gestegen en daardoor kunnen senioren steeds langer actief genieten van hun 'oude' dag. De leeftijdsgrens waarop we stoppen met werken is daarbij echter niet automatisch verhoogd. In veel gevallen is deze door allerlei maatregelen zelfs gedaald. Economisch gezien kunnen maatregelen niet uitblijven, maar hoe dit uitpakt voor het welzijn van de senioren zal in de praktijk moeten blijken.

'Als ik 's ochtends vroeg met mijn auto wegrijd en overal de luikjes nog dicht zijn, rijd ik heerlijk de wijde wereld in naar mijn werk.'

Een kwart van je leven thuis zijn is in de toekomst waarschijnlijk niet meer aan de orde. De babyboomers van na de oorlog horen waarschijnlijk tot de 'laatsten der Mohikanen' die hiervan kunnen genieten. Al dan niet een baantje erbij? De keuze is aan u.

Vrijwilligerswerk in soorten en maten

Een pak melk meenemen voor je hoogbejaarde buurman? Dat doe je wel even en geen mens zal het in zijn hoofd halen om daar geld voor te vragen. Een percentage van de winst opeisen als je met de collectebus rondgaat? Je collega-collectanten zien je aankomen! Twee ochtenden per week gratis op een boekhoudkantoor werken? Tja... dat is toch wel even wat anders, misschien als het om een familiebedrijf gaat. Maar gratis de administratie verzorgen voor een vereniging van vierhonderd leden, dat kan nou net weer wel. De grenzen tussen betaald en onbetaald werk liggen niet altijd even duidelijk en ook de motivatie om zich belangeloos in te zetten verschilt van persoon tot persoon. Soms ontstaan daardoor merkwaardige situaties. In een verzorgingstehuis bijvoorbeeld: je ziet er zowel betaalde als onbetaalde krachten rondlopen en toch zijn ze allemaal even hard aan het werk. Niet iedereen is hier een voorstander van, maar daar staat tegenover dat heel wat vrijwilligers hun naam liever niet op een loonlijst zien.

Als alle vrijwilligers in Nederland een weekje hun werk neerleggen, dan heeft dit een behoorlijke ontwrichting van de samenleving tot gevolg. De voetbalclub, tafeltje-dek-je, de fanfare, de Kerk, de kinderboerderij, de historische vereniging, het wijkplatform en nog een hele waslijst aan plaatsen waar vrijwilligers zich inzetten, functioneren dan niet goed meer. Nederland telt ruim vier miljoen vrijwilligers en in de leeftijdsgroep van 55 tot 65 jaar kan 44 procent zich hierbij aansluiten. Op hogere leeftijd tot 75 jaar zet eenderde zich nog met regelmaat in. Daarboven is ruim 16 procent af en toe nog actief als vrijwilliger. Een gemiddelde van deze drie categorieën komt uit op ruim 30 procent. Dit percentage geldt dan voor de totale groep van 55 jaar en ouder.

Werk en vrijwilligerswerk

Uit de antwoorden van de geïnterviewden komt een veel hoger percentage naar voren. De leeftijden variëren van 55 t/m 83 jaar en wel 66 procent verricht vrijwilligerswerk. Vanwaar dit grote verschil? Misschien is het antwoord te vinden in het feit dat alle geïnterviewden voor langere tijd hebben deelgenomen aan het arbeidsproces. Dit gaat niet op voor de gemiddelde Nederlander. Hieruit zou je kunnen concluderen dat mensen die in staat zijn te werken zich eerder aanmelden als vrijwilliger.

Meer uren

Senioren besteden meer tijd aan vrijwilligerswerk dan gemiddeld, maar de verschillen zijn niet echt spectaculair. De gemiddelde Nederlander komt aan 2,1 uur per week, de vijftigplusser aan 2,4 uur en de zestigplusser aan 3,5 uur. Volgens het Sociaal en Cultureel Planbureau (SCP) bungelt het vrijwilligerswerk bij veel senioren ergens onder aan het prioriteitenlijstje. Daarbij wordt vermeld dat tussen de groep 'liever niet' en de groep 'enthousiast' een groot aantal twijfelaars hangt. Zij zijn niet goed op de hoogte van wat er waar te doen is en blijven daardoor zoekende. Verder wordt opgemerkt dat de jongere senioren weinig aansluiting vinden in de traditionele vrijwilligersverbanden.

Het SCP vermeldt niet wat er wel boven aan het prioriteitenlijstje van de senioren staat. Voor dertig procent vormt dit in ieder geval een niet al te grote barrière om belangeloos een bijdrage te leveren aan de samenleving.

'Je moet oppassen dat je niet overal ingetrokken wordt, zoals in besturen van verenigingen.'

Heel veel mogelijkheden

'Nee, koffieschenken bij bejaarden is niets voor mij', antwoordde een geïnterviewde op de vraag of hij vrijwilligerswerk deed. Je vraagt je af hoe het komt, maar vaak is dit het eerste waar mensen aan denken. Een blik op de internetsite van de Vrijwilligerscentrale laat zien dat de praktijk er heel anders uitziet. Een gevarieerd aanbod van activiteiten door het hele land biedt mogelijkheden op elk niveau. Een greep uit het assortiment:

redacteur/tekstschrijver, pleegouder aspirant-geleidehond, programmamaker klassieke zender, grafisch vormgever, coördinator/organisator project Zambia, aquariumonderhoud zorginstelling, medewerker weggeefwinkel, barman activiteitencentrum, medewerker crisisopvang, secretaris kunstschaatsvereniging, medewerker Kindertelefoon, chauffeur biologisch bedrijf, PR-medewerker vluchtelingenwerkgroep en keukenassistent kindervakantieweek.

'Sluit je aan bij het vrijwilligerswerk, er is zoveel te doen!'

Het totale aanbod door heel Nederland op de website van de Vrijwilligerscentrale biedt ruim 5300 mogelijkheden om je talenten in te zetten. Dit is nog maar een gedeelte van het werkelijke aanbod, want van lang niet elke centrale staan de vacatures op internet.

Maak een bewuste keuze

'Zeg niet overal ja op', is het advies van een geïnterviewde. Al voor zijn afscheids-receptie werd hij gevraagd voor diverse vrijwilligerstaken. Deze welgemeende raadgeving is het overdenken waard. Voor je het weet heb je het te druk met allerlei verplichtingen, zonder dat je er nog van geniet.

Het feit dat u zich belangeloos in wilt zetten voor anderen betekent niet dat daar niets tegenover mag staan. Bepaal zo mogelijk eerst voor uzelf waar u behoefte aan heeft en ga dan gericht op zoek naar een passende 'werkkring'. Zoekt u gezelligheid, wilt u uw kennis en ervaring nuttig maken, wilt u zich ontplooien of een scholing volgen, geeft u liever geen leiding, heeft u graag eigen verantwoordelijkheid? Allemaal zaken die belangrijk zijn voor het wel-slagen van uw keuze.

Stel naast de eisen die worden gesteld ook uw eigen eisen. Verder moet het ook klikken met de collega's, zodat u met plezier aan de slag kunt. Heeft u na verloop van tijd het idee dat u niet de juiste keuze heeft gemaakt, bedank dan vriendelijk en ga op zoek naar iets anders wat beter bij u past.

Van vrijwillig naar betaald?

Traditionele organisaties als politieke partijen, de Kerk en vrouwenorgani-saties zien in de loop der jaren het aantal leden en donateurs gestaag afnemen. Bij milieu-, natuur- en consumentenorganisaties is juist het tegenovergestelde aan de orde en dit geldt ook voor de recreatie- en sportverenigingen. Ondanks de groei van het aantal leden en donateurs kampt men ook daar met een gebrek aan vrijwilligers. Een uitzondering hierop vormen de jeugd- en sportorgani-saties. De inzet van de ouders zal hierop zeker van invloed zijn. In de meeste andere gevallen ligt een financiële bijdrage eerder binnen de mogelijkheden dan een aantal uren actieve inzet. Organisaties zien zich daardoor steeds meer genoodzaakt om een beroep te doen op professionele ondersteuning in de vorm van betaalde krachten. In veel gevallen is dat echter helemaal niet mogelijk. Er is gewoonweg geen geld om de vrijwilligers te betalen, terwijl hun hulp op veel plaatsen onmisbaar is.

Een uitkering en vrijwilligerswerk

Wie tot zijn AOW een uitkering ontvangt, mag zich niet onder alle omstandig-heden inzetten als vrijwilliger. Zo mag een vrijwilliger met een uitkering geen werk doen waar iemand anders zonder uitkering voor zou worden betaald. Ook mag het vrijwilligerswerk de kans op een nieuwe baan niet in de weg staan.

Activiteiten in de avonduren en in het weekend vormen geen probleem en mo-gen altijd. Ook vrijwilligerswerk dat al gedaan werd voordat men een uitkering ontving, mag men in de regel blijven doen.

Wie iets nieuws gaat ondernemen of het aantal uren vrijwilligerswerk sterk wil uitbreiden, doet er goed aan eerst overleg te plegen met de uitkeringsinstantie. Daar kan men bekijken of het werk wel toegestaan vrijwilligerswerk is. Daarvoor zijn vaste regels opgesteld. Werk dat aangeboden wordt via de Vrijwilligerscentrale wordt van tevoren getoetst op deze voorwaarden.

Wie AOW ontvangt, heeft met alle regels rond vrijwilligerswerk niets te maken en kan doen en laten wat hij of zij wil.

Stimuleringspremie

Gemeenten hebben de mogelijkheid mensen met een uitkering aan te moedigen om vrijwilligerswerk te gaan doen. Hiervoor is een premie beschikbaar. Deze stimuleringspremie wordt niet van de uitkering afgetrokken. De hoogte en voorwaarden voor de stimuleringspremie verschillen per gemeente.

Uitkering en onkostenvergoeding

De vaste onkostenvergoeding en de vergoeding van werkelijk gemaakte kosten voor vrijwilligerswerk worden niet in mindering gebracht op een WW-, WAO- of bijstandsuitkering. In sommige gevallen moeten deze kosten wel nauwkeurig kunnen worden aangetoond. Het is ook toegestaan een vast bedrag van € 150 per maand met een maximum van € 1500 per jaar te ontvangen (bedragen over 2006). Alle overige vergoedingen of beloningen voor vrijwilligerswerk worden wel verrekend met de uitkering. Organisaties zijn niet verplicht om een onkostenvergoeding te betalen en de hoogte van het bedrag ligt niet vast. Wanneer men een bijstandsuitkering ontvangt samen met een stimuleringspremie, dan wordt deze premie bij het belastbaar inkomen geteld zodra er sprake is van een vrijwilligersvergoeding. Ontvangt u een uitkering en wordt u een vergoeding aangeboden, dan is het verstandig om eerst informatie in te winnen over de eventuele financiële consequenties.

Arbo-wet

Bedrijven en organisaties moeten voldoen aan allerlei wetten en regels rond de zorgplicht voor arbeidsomstandigheden. Ook vrijwilligersorganisaties moeten hieraan voldoen. Onder de zorgplicht vallen:
- *veiligheid*
- *het voorkomen van gevaar*
- *bescherming van de gezondheid*
- *bevorderen van het welzijn*
- *voldoende voorlichting en scholing*

Risico's op de werkplek moeten worden geïnventariseerd en geëvalueerd. Samen met een plan van aanpak noemt men dit de 'Risico-inventarisatie en -evaluatie'. De RI&E wordt gecontroleerd door de Arbo-dienst. Vrijwilligersorganisaties waar in totaal veertig uur per week of minder betaalde arbeid wordt verricht, zijn vrijgesteld van deze controle. De NOV (Vereniging Nederlandse Organisaties Vrijwilligerswerk) verstrekt een specifieke checklist waarmee vrijwilligersorganisaties zelf een RI&E kunnen uitvoeren. Klachten over het vrijwilligerswerk kan men officieel uiten bij het CIVIQ (Instituut Vrijwillige Inzet). Ook kan men hier terecht voor overige, uitgebreide informatie rond vrijwilligerswerk.

Bent u verzekerd?

U repareert als vrijwilliger de waterleiding in het onderkomen van de Natuurhistorische vereniging. Om drie uur 's nachts gaat er iets mis en er ontstaat een enorme waterschade. Niet alleen op de etage van de vereniging, maar ook op de ondergelegen verdieping van een modezaak is de schade enorm. Wordt ú of de vereniging in dit geval aansprakelijk gesteld voor de kosten?

U zit in het bestuur van een vereniging. Er wordt een groot evenement georganiseerd, maar door extreme gladheid komen er praktisch geen bezoekers. De gemaakte kosten worden bij lange na niet gedekt en de vereniging gaat failliet. Bent u als bestuurslid medeverantwoordelijk en daardoor financieel aansprakelijk?

De vereniging huurt een busje en u stelt zich beschikbaar als chauffeur. Door een moment van onoplettendheid rijdt u een fietser aan. Een uurtje later ligt het slachtoffer in het ziekenhuis met zijn been in het gips. Zelf komt u met de schrik vrij. Hoe is de verzekering in dit geval geregeld?

Naast materiële schade kunt u tijdens vrijwilligerswerk ook lichamelijk letsel veroorzaken of zelf hiervan het slachtoffer worden. De ziektekosten vormen in de regel geen probleem, maar hoe zit het als er een ongeval plaatsvindt waardoor men blijvend invalide raakt? Allemaal vragen die beter van tevoren dan achteraf kunnen worden gesteld. Informeer of er een aansprakelijkheidsverzekering en een ongevallenverzekering zijn afgesloten. Als er onduidelijkheden zijn en er is behoefte aan meer informatie, dan kan men als organisatie terecht bij het NOV. Ook de verzekeringsmaatschappijen kunnen u informeren.

'Aan de slag, niemand hoeft zich te vervelen!'

Vrijwilligerskaart

Tegen een gering bedrag kunnen vrijwilligersorganisaties als blijk van waardering hun leden jaarlijks voorzien van een vrijwilligerskaart. Deze kaart geeft korting op zaken als opleidingen, workshop's, dagjes uit, vervoer, concerten en weekendjes weg. Ten minste drie keer per jaar ontvangt de kaarthouder een informatiekrant met de mogelijke kortingen. Indien gewenst kan de vrijwilliger via e-mail op de hoogte worden gehouden van de nieuwste aanbiedingen. Achter in dit boek vindt u het adres voor verdere informatie over de kosten en de voorwaarden.

Internationale Vrijwilligersdag

In 1987 werd 5 december door de Verenigde Naties uitgeroepen tot Internationale Vrijwilligersdag en ieder jaar wordt dit in negentig landen gevierd. In Nederland is de viering op 7 december en op die datum worden jaarlijks drie prijzen uitgereikt:

- *Nationale Compliment (beste vrijwilligersproject)*
- *Gemeenten Compliment (meest actieve beleid vrijwilligerswerk)*
- *Ondernemers Compliment (beste vrijwilligersinitiatief)*

Informatie over de vrijwilligersdag en bijbehorende initiatieven wordt verstrekt door het CIVIQ.

Tot slot

Of u zich wel of niet geroepen voelt tot vrijwilligerswerk is aan u. Heeft u het prima naar uw zin thuis en genoeg te doen, voel u dan niet schuldig als u er niets in ziet om in georganiseerd verband in actie te komen. Het feit dat u daar niet aan meedoet, betekent niet dat u nooit een helpende hand uitsteekt of geen interesse heeft in het welzijn van anderen. Bent u wel geïnteresseerd in vrijwilligerswerk, dan ziet men uw komst op veel plaatsen met belangstelling tegemoet. Waar en hoe u zich het best thuis voelt, zal de praktijk u moeten leren. Zoekt u daarbij hulp of wilt u meer informatie: bij de diverse organisaties staan de nodige vrijwilligers voor u klaar. De adressen vindt u achter in dit boek.

Aan de studie

Een maal één is één, twee maal één is twee… het opdreunen van de tafels was vroeger tot ver buiten de hoge klaslokalen te horen. Na de lagere school volgden de 'gelukkigen' nog enkele jaren vervolgonderwijs. Je ging naar de technische school of naar de 'Spinazieacademie' en als je heel goede cijfers had naar de mulo. Was je echt een kei dan mocht je op de fiets naar de HBS of naar het gymnasium, maar vanzelfsprekend was dit niet. Vooral in de grote gezinnen vielen toekomstdromen aan scherven. Soms kwam je met behulp van een fanatieke bovenmeester toch op je plek. Hij kwam dan thuis met je ouders praten en daar was je zelf niet bij. 'Jan gaat naar het gymnasium, hij gaat studeren voor dokter', vertelde je vader de volgende dag trots op zijn werk, en reken maar dat je op school je best deed.

Inmiddels zijn heel veel 'kroontjespenscholieren' met de VUT of met pensioen. Velen zagen hun kans schoon om in de jaren dat zij werkten hun kennis aan te vullen met de opleiding van hun keuze. Via avondscholen, schriftelijke cursussen en bedrijfsopleidingen werkten ze zich op naar hogere functies of naar het beroep van hun keuze. Om een beeld te krijgen van het opleidingsniveau van de geïnterviewden waren meestal aanvullende vragen nodig. Het werk dat men had gedaan lag qua niveau vaak hoger dan het niveau van de opleiding uit hun jeugdjaren. In grote lijnen kwamen uit de antwoorden de volgende eindniveaus: 17 procent lbo, 38 procent mbo, 35 procent hbo en 10 procent universitair. Ook zonder hulp van de bovenmeester hebben velen de carrièreladder tot op een behoorlijke hoogte weten te beklimmen. Degenen met aanvankelijk alleen een lagereschoolopleiding (5 procent), hebben in hun beroep veel vakkennis opgedaan.

Studeren als vrijetijdsbesteding

Wie niet meer werkt en ook geen plannen meer heeft in die richting, hoeft zich niet meer druk te maken om een beroepsopleiding. Puur uit liefhebberij, nieuwsgierigheid of interesse kun je van start met een cursus, workshop of een willekeurige studie. Niet iedereen heeft daar zin in of komt daaraan toe. Op 66 procent van de geïnterviewden was dit van toepassing. De overige 34 procent had zich sinds het afscheid aangemeld voor een of meer (praktische) cursussen en studies. De studierichtingen en het niveau liepen sterk uiteen, maar het plezier en de voldoening waren er niet minder om. De volgende onderwerpen kwamen aan bod: snoeien, sterrenkunde, Spaans, Italiaans, Frans, Duits, Engels, pedagogie, computergebruik, theaterwetenschappen, toneel, wijnproeven, gezinspedagogie, kinderpsychologie, schilderen, tekenen, naaien, theologie, bestuurlijk, boekbinden, ondersteuning vrijwilligerswerk, horeca, filosofie, kunstgeschiedenis, koken en genealogie.

'Je leven houdt niet op als je niet meer hoeft te werken.'

Creatief aan de slag

'Knap hoor, ik kan nog geen potlood vasthouden', laat een bezoeker in een museum bewonderend horen. Verder dan wat kindertekeningen is hij nooit gekomen. In zijn jeugd kwam het er niet van en eenmaal aan het werk was er weinig tijd. Het is zestig jaar lang bij bewonderen gebleven, maar nu begint het toch te kriebelen. Een houten verfkist met kleurige tubes, een set penselen, een schildersezel... hij ziet zichzelf al zitten in de schaduw onder een boom. In de realiteit ligt er tussen hem en de boom een forse drempel. Je opgeven voor een creatieve cursus zonder dat je ooit iets kunstzinnigs gepresteerd hebt, dat doe je niet zo gauw.

Als u zich in deze regels herkent, laat u dan niet door uw bescheidenheid weerhouden en trek de stoute schoenen aan. Uw creativiteit ontwikkelen is een boeiende en dankbare bezigheid. Denkt u bij voorbaat dat u er toch niets van bakt, bedenk dan het volgende: anno 2005 is er een schilderij van een chimpansee verkocht voor 20.000 dollar! Misschien maakt u zich nu wat minder benauwd over uw eigen kunnen. Uw leraar of lerares zal u met enthousiasme begroeten, want niets is zo dankbaar als een beginnende leerling die opbloeit tot een enthousiaste cursist. Door het hele land wordt een groot aantal creatieve cursussen gegeven. In de gemeentegids van uw woonplaats vindt u de adressen en ook in de bibliotheek en in plaatselijke kranten worden cursussen aangekondigd.

Muziek

Hangt uw viool al jaren aan de wilgen? Wordt het hoog tijd de saxofoon weer eens op te poetsen? Les nemen kan op elke leeftijd. Zelfs als u nooit een instrument heeft bespeeld bent u welkom bij muziekscholen en privé-leraren. Als beginner zult u misschien niet meer echt een hoog niveau bereiken, maar dat hoeft ook niet. Muziek maken is een ontspannende bezigheid waaraan u al dan niet met anderen veel plezier kunt beleven. Instrumenten zijn in veel gevallen ook te huur, zodat u niet direct tot aanschaf hoeft over te gaan. Bent u na enkele lessen (weer) razend enthousiast, dan kan dat altijd nog.

Kan ik nog studeren?

'Na je veertigste studeren, dat lukt niet meer!' Bij tijd en wijle hoor je deze ontmoedigende opmerking weer opduiken terwijl het tegendeel overal wordt bewezen. Uiteraard is er verschil tussen leren op je twaalfde en leren op je zestigste. Het tempo waarin je de lesstof opneemt is vaak langzamer en ook het geheugen laat ons wat eerder in de steek. Aan de andere kant heb je als volwassene meer overzicht, meer ervaring en vaak ook meer de rust om te studeren. Wie daarbij ook nog eens flink gemotiveerd is, kan met een gerust hart aan de slag. In het begin kost het u misschien moeite om geconcentreerd met de lesstof bezig te zijn en de inhoud op te nemen, maar na verloop van tijd raak je daar overheen. Wie na jaren zonder beweging weer gaat trimmen, voelt zich ook niet direct soepel en in topconditie.

'Je kunt het als een staat van genade ervaren:
je mag alles, je kan alles en je hoeft niets.'

Hoe en waar

Bent u graag zelfstandig bezig, studeert u bij voorkeur in uw eigen tempo en kunt u een stok achter de deur wel missen, dan is iedere vorm van studie wel geschikt voor u. Heeft u deze eigenschappen niet en vindt u het contact met medecursisten belangrijk, dan is het volgen van een thuisstudie niet aan te bevelen. Wekelijks een paar uur met elkaar in de klas, een leerkracht die de lesstof doorneemt en aan wie je vragen kunt stellen, het contact met de medeleerlingen: het zorgt er allemaal voor dat de gang en het plezier erin blijven. In de praktijk blijkt dan ook dat deze vorm van studeren minder uitvallers kent dan de thuisstudies. Voor wie een tijdlang niet gestudeerd heeft, zijn er bij sommige studies speciale opstapcursussen. Ook is het her en der mogelijk om een proefles te volgen of het cursusmateriaal in te kijken. Studeren kan 's avonds, maar ook overdag. Voor wie 's avonds niet graag meer de deur uitgaat wel zo prettig.

Woont u in een stad, dan zijn er waarschijnlijk legio mogelijkheden in de buurt. In kleinere plaatsen zult u het wat verder van huis moeten zoeken. In de betreffende gemeentegidsen vindt u de adressen van de opleidingsinstituten.

Schriftelijk studeren

Het voordeel van een thuisstudie is dat je de deur niet uit hoeft en in je eigen tempo kunt studeren. Bezit je een computer, dan hoef je in veel gevallen niet eens meer naar de brievenbus te lopen. Het huiswerk kan per e-mail worden verstuurd en ook veel ondersteuning vindt plaats via het web en e-mail. Opleidingsinstituten als LOI en NHA bieden niet alleen leuke hobbycursussen maar ook studies op middelbaar en hoger niveau.

Zit u regelmatig in de auto, dan is een taalcursus met bijbehorende cassettes of cd's een nuttige manier om uw kilometers af te leggen. Een uitgebreid overzicht van alle cursussen en prijzen vindt u op de betreffende websites of in de studiegidsen, die u kosteloos kunt aanvragen.

Teleac/NOT

Vindt u dat er tegenwoordig weinig zinnigs te zien is op de buis? Misschien kan het volgen van een documentaire of cursus verzorgd door de stichting Teleac/NOT uw mening veranderen. Het aanbod behandelt bij toerbeurt onderwerpen op het gebied van wetenschap, cultuur, geschiedenis, gezondheid, samenleving, taal, opvoeding, onderwijs, hobby, vrije tijd en werk. Waar mogelijk wordt gewerkt met televisie en radio samen. Bij veel programma's hoort begeleidend materiaal in de vorm van een boek, cd-rom, cd of internetsite.

'Het is een absolute aanrader om weer iets te gaan leren.'

De Volksuniversiteit

Bij de Bond van Nederlandse Volksuniversiteiten zijn bijna honderd Volksuniversiteiten aangesloten. De cursussen aldaar zijn niet gericht op het behalen van een diploma en het niveau past zich aan aan dat van de cursist. Voorop staat de mogelijkheid om zich zo breed mogelijk te informeren. Misschien wilt u een vreemde taal leren, een nieuwe hobby beginnen of alleen maar uw inzicht en algemene ontwikkeling vergroten: de Volksuniversiteit helpt u dit doel te bereiken. Het aanbod is echt enorm en bijzonder gevarieerd. U kunt alleen al kiezen uit 37 talen. De kosten voor de verschillende cursussen liggen relatief laag.

'Zoek ook wat bezigheden voor de winter.'

Vavo (voortgezet algemeen volwassenenonderwijs)

Iedereen die ouder is dan achttien jaar kan deelnemen aan klassikaal dag- of avondonderwijs voor volwassenen. Je kunt een volledige opleiding vmbo, havo of vwo volgen of één of meer vakken uit deze opleidingen. Tijdens een intakegesprek (eenmaal per jaar voordat de scholen weer beginnen) wordt in overleg vastgesteld welke opleiding geschikt is en of u voldoet aan de toelatingseisen. Zo kan iemand die zijn Frans wil ophalen en al een goede basis heeft, in overleg besluiten om in te stappen in het vierde jaar havo. U kunt examen doen in één of meer vakken en voor ieder behaald vak ontvangt u een certificaat. Op die manier kunt u over een langere periode certificaten bij elkaar sparen om een volledig vmbo-, havo- of vwo-diploma te behalen. Dit moet wel binnen een bepaald aantal jaren gebeuren.

'De nog geplande studie psychologie heb ik niet gedaan. Door het overlijden van vrienden ben ik anders tegen de resterende jaren aan gaan kijken.'

Hovo (Hoger onderwijs voor ouderen)

Voor een afstudeerproject psychologie organiseerden Groningse studenten in 1986 een cursus voor vijftigplussers. De belangstelling was overweldigend en na het afstuderen kreeg het project dan ook een landelijk vervolg op bijna alle universiteiten en hogescholen. Inmiddels schrijven zich landelijk jaarlijks zo'n twintigduizend deelnemers in. Cultuur, geschiedenis en filosofie zijn de meest bezochte studieonderdelen. Het aanbod bestaat uit een combinatie van cursussen, lezingen, excursies en culturele reizen. Er zijn cursussen op hbo- en op universitair niveau, zonder de verplichting van een volledig universitaire studie. Een speciale vooropleiding is niet vereist.

'In het begin nam ik uit enthousiasme veel te veel hooi op mijn vork. Ik heb wel wat moeten dimmen.'

De Hovo-instellingen verzorgen tweemaal per jaar een cursusprogramma. Het aantal cursusweken verschilt per onderwerp en varieert van drie tot veertien weken. De kosten liggen globaal tussen de vijftig en vierhonderd euro. Soms zijn er nog extra werkcolleges en/of discussiecolleges. Indien van toepassing kan de cursus met een studiereis worden afgesloten. De cursus 'Russische Iconen' bijvoorbeeld, wordt afgesloten met een reis naar Sint Petersburg.

Voorbeelden van het gevarieerde studieaanbod zijn:
Japanse tradities, Dali, Een duurzame toekomst, De ontwikkelingen van het strijkkwartet, Moderne architectuur, Geschiedenis van het Midden-Oosten, Vrouwelijke denkers door de eeuwen heen, Joodse cultuur in Europa, Luisteren naar jazzmuziek, Rituelen en Kunstgeschiedenis.

Het is mogelijk de cursussen af te sluiten met een tentamen, maar dit is niet verplicht. Soms zijn cursussen binnen een vakgebied met elkaar verbonden in één leergang. Wie alle cursussen in een leergang afsluit met een tentamen krijgt een diploma uitgereikt. Aan het eind van de leergang wordt een werkstuk gemaakt.

Open Universiteit

Thuis studeren via de Open Universiteit biedt ook bijzonder veel mogelijkheden. In principe is de lesstof dusdanig samengesteld dat men zonder hulp van een docent aan de slag kan. Bij vragen kan men telefonisch of per e-mail contact opnemen met een studiebegeleider. Via internet worden ervaringen uitgewisseld met medestudenten. In twaalf over het land verspreide studiecentra kan men onder andere begeleidingsbijeenkomsten bezoeken en zich voorbereiden op de tentamens. Prijzen voor een studie bij de Open Universiteit beginnen bij € 220 (één module), exclusief inschrijfgeld en bijkomende kosten. Wie eerder een hbo- of wo-opleiding heeft genoten betaalt een toeslag van € 51.

'Het is belangrijk dat je partner je ondersteunt in de dingen die je wilt ondernemen.'

Regulier universitair onderwijs

Wie zich als senior aanmeldt bij het reguliere universitaire onderwijs moet aan alle geldende toelatingseisen voldoen. Bij gebrek aan plaats gaan jongere studenten voor. Senioren betalen een verhoogd collegegeld en ontvangen geen studiefinanciering.

Mantelzorg verdient de aandacht

Gewoon even voor een paar uurtjes de stad in, gezellig koffiedrinken bij een jarige, gezond wat baantjes trekken in het zwembad? Er zijn mensen die hier nooit aan toekomen. Door de zorg voor anderen komen ze bijna de deur niet meer uit. In Nederland wordt tachtig procent van alle zorg uitgevoerd op 'vrijwillige' basis en met elkaar zorgen 3,7 miljoen mensen in meer of mindere mate voor familie, vrienden, kennissen of buren. Deze vorm van zorg wordt tegenwoordig 'mantelzorg' genoemd en de vrijwilligers worden met 'mantelzorgers' aangeduid. Zo'n 750.000 mensen leveren meer dan acht uur per week zorg, gedurende een periode langer dan drie maanden. Soms gebeurt dit vierentwintig uur per dag en wie daarmee te maken krijgt, voelt zich meestal overbelast. Bij elkaar zijn dat 150.000 tot 200.000 mantelzorgers, onder wie ook veel senioren. Ondanks hun leeftijd en lichamelijke conditie hebben zij de zware taak om dag en nacht een chronisch zieke of demente partner bij te staan.

Wat maakt het zwaar?
Er zijn mensen met een stevige baan in de zorg die prima functioneren en hun werk vele jaren met plezier volhouden. Waarom is diezelfde zorg thuis voor maar één patiënt dan zoveel zwaarder? Voor een antwoord op deze vraag veranderen we in gedachten de werksituatie van de professionele zorgverlener. We beginnen met het afschaffen van de vakantiedagen en de vrije weekeinden. Vervolgens stellen we naast de dagtaak ook een avondwacht in van zeven dagen per week. Een ongestoorde nachtrust wordt niet meer gegarandeerd. Dit lijkt bij elkaar misschien wat overdreven, maar voor veel mantelzorgers is dit de realiteit. De verzorgende met een baan kan tussen de bedrijven door bijtanken en de zorg van zich afzetten. Bij de mantelzorger kan dit niet. Daar komt nog bij dat je in de privé-sfeer meestal voor iemand zorgt met wie je een persoonlijke band hebt. Dit maakt afstand nemen extra moeilijk.

In de schaduw van de patiënt
'Geweldig wat die vrouw doet, dag en nacht staat zij klaar voor haar man. Niets is haar te veel en wie op bezoek komt, kan ook nog eens rekenen op een opbeurend praatje en een vers kopje koffie. Zij doet er zelf ook nog het hele huishouden bij en alles ziet er keurig uit!' Hoort u ze vaak, dergelijke verhalen over

mantelzorgers? Waarschijnlijk niet. De aandacht is meestal gericht op de zieke en de zorg wordt daarbij als vanzelfsprekend beschouwd. Gesprekken met de mantelzorger gaan over de medicijnen van Piet, de temperatuur van Piet, de eetlust van Piet en over het bezoek van de dokter. Alles passeert de revue en de bloemen, ook voor Piet, worden netjes in het water gezet. Met Piet gaat het naar omstandigheden redelijk, maar dat het voor zijn zestigjarige vrouw haast niet meer vol te houden is, lijkt niemand op te vallen.

'Als iemand hulpeloos op bed ligt en zelf loop je nog gewoon rond, dan is de keuze snel gemaakt: de ander gaat voor. Probeer goed op jezelf te letten, dat is ontzettend belangrijk!'

Zorgen doe je meestal voor iemand met wie je een persoonlijke band hebt en afstand nemen is daardoor moeilijk. Aanbiedingen van anderen om de wacht voor een paar uur over te nemen worden dan ook maar al te vaak afgewimpeld. De mantelzorger heeft inmiddels een ruime ervaring met wat er wel en niet moet gebeuren en op welke tijd. Soms moet de patiënt ook naar het toilet worden geholpen of op de ondersteek. Hoe dat allemaal moet zonder hem of haar is niet direct te overzien. Wanneer de mantelzorger zich dan ook nog afvraagt of de zieke zich wel prettig voelt bij een ander, dan is een beslissing snel genomen. 'Een andere keer maar misschien, Piet is al een paar dagen niet zo optimaal.'

Wanneer de mantelzorger wel bereid is om de zorg tijdelijk over te dragen, kan degene die verzorgd wordt alsnog roet in het eten gooien. De vaste vertrouwde aanwezigheid van de mantelzorger wordt in veel gevallen niet zomaar prijsgegeven. Iemand die chronisch ziek is, leeft vaak in een kleine wereld tussen vier muren. Dat een gezond mens daar gillend gek van wordt en af en toe afstand moet nemen dringt niet altijd door. Het kan helpen als een familielid, een goede bekende of de huisarts de noodzaak van een paar vrije uren eens duidelijk onder de aandacht brengt. Het risico van een lichamelijke of geestelijke uitputting bij de mantelzorger mag niet worden onderschat. Ook degene die verzorgd wordt zal dit onder ogen moeten zien, samen met de gevolgen.

'Maak samen afspraken en houd dingen bespreekbaar.'

Vervangende mantelzorg door vrijwilligers

Even een paar uurtjes winkelen of zomaar ergens koffie drinken: alledaagse dingen die pas bijzonder lijken als ze niet meer mogelijk zijn. Gewoon even de tijd nemen om je te ontspannen en jezelf te zijn, zonder te rennen en te vliegen.

Mantelzorgers die dit niet gewend zijn, moeten er in het begin vaak weer aan wennen. De beleving lijkt wel wat op die van ouders die hun baby voor het eerst bij een oppas achterlaten. Je vraagt je af of alles wel goed gaat en het schuldgevoel ligt op de loer. Is dat ochtendje nou zo noodzakelijk dat anderen daarvoor moeten opdraven? Ja, dat is het zeker, en de vrijwilligers die de zorg voor een paar uurtjes overnemen vinden dat ook. De vergoeding die gevraagd wordt is vaak minimaal en ligt in veel plaatsen zo rond de één á twee euro per ochtend of middag. Soms is het zelfs helemaal gratis.

Afhankelijk van de mogelijkheden wordt de mantelzorger steeds afgelost door dezelfde vrijwilliger. In overleg wordt afgesproken hoe vaak vervangende zorg gewenst is. Maximaal kan dat meestal tot drie dagdelen per week. De vrijwilliger neemt tijdelijk de zorg over, maar doet geen huishoudelijk of verpleegkundig werk. Verder is er van alles mogelijk. Zorg kan worden geboden aan chronisch zieken, aan dementerenden en aan mensen met een verstandelijke of lichamelijke beperking. De activiteiten daarbij variëren van een wandeling, een spelletje doen, een goed gesprek, de krant voorlezen of gewoon gezellig samen koffie drinken.

Mantelzorgers met een dementerende partner hebben vaak extra moeite met het aan anderen overlaten van de zorg. Dit geldt ook bij de verzorging van mensen met een psychische aandoening. Een verstoring van de regelmaat en een vreemd gezicht in huis worden liever voorkomen. Soms schaamt men zich omdat de partner zich in het bijzijn van anderen vreemd of zelfs onaangenaam gedraagt. De inschakeling van een buitenstaander kan daarbij juist in het voordeel werken.

'We hebben eerst jaren voor mijn demente oom gezorgd.
Daarna ook nog een paar jaar voor een demente tante.'

De vrijwilliger wordt goed voorbereid op de situatie en heeft de intentie om daar serieus en vertrouwelijk mee om te gaan. De beslissing om hulp aan te nemen van anderen is niet altijd even eenvoudig, maar in heel veel gevallen wel zo verstandig. Een paar uurtjes per week gemist worden is uiteindelijk duizend keer beter dan het slachtoffer worden van een langdurige geestelijke of lichamelijke inzinking.

Vervangende mantelzorg via de AWBZ

Via de officiële instanties bestaan mogelijkheden voor tijdelijke, vervangende mantelzorg (respijtzorg), zowel thuis als buitenshuis. In dit laatste geval zijn er naast de dagopvang ook verschillende mogelijkheden met overnachting.

Financiën en instanties

In veel gevallen regelt de mantelzorger ook de financiële zaken. Daarbij komen verschillende instanties en regelingen om de hoek kijken:

Instanties en regelingen

- Wet bijzondere bijstand
- TBU (Tegemoetkoming buitengewone uitgaven)
- WMO (Wet maatschappelijke ondersteuning)
- AWBZ (Algemene Wet bijzondere ziektekosten)
- CIZ (Centrum indicatiestelling zorg)
- MEE (ondersteuning bij hulpaanvragen CIZ)
- PGB (persoonsgebonden budget)

Hierna wordt kort ingegaan op de verschillende begrippen.

Vergoeding via de Wet bijzondere bijstand

Kosten voor bijvoorbeeld een aangepast dieet, extra verwarming, vervoer en extra kleding zijn meer regel dan uitzondering. Bij een laag inkomen vormen deze uitgaven een extra zorg. Gaat het om ziektekosten die niet door het ziekenfonds of de particuliere zorgverzekeraar worden vergoed, dan kan via de gemeente een beroep worden gedaan op de Wet bijzondere bijstand. De gemeente bepaalt aan de hand van de persoonlijke omstandigheden of de kosten in hun geheel of gedeeltelijk worden vergoed. Om in aanmerking te komen moet het totale inkomen wel beneden een minimumgrens liggen en ook is er een grens voor het eigen vermogen. Informeer bij uw gemeente naar de voorwaarden.

TBU (Tegemoetkoming buitengewone uitgaven)

Deze regeling wordt uitgevoerd door de Belastingdienst. Wie niet in aanmerking komt voor bijzondere bijstand kan via de belastingaangifte proberen om een deel van de gemaakte kosten terug te ontvangen. Ook wie normaal geen aangifte doet, kan gebruikmaken van deze regeling. Niet alleen de eigen kosten maar ook die voor de partner, kinderen jonger dan zevenentwintig jaar, inwonende ouders, broers of zussen die worden verzorgd en ernstig gehandicapte personen van zevenentwintig jaar en ouder komen hiervoor in aanmerking. Hulp bij het invullen van uw aangifte is gratis als u lid bent van een seniorenbond.

WMO (Wet maatschappelijke ondersteuning)

Mogelijk zijn er via de WMO aanpassingen en voorzieningen te regelen die een steentje bijdragen aan een goed georganiseerde verzorging. De WMO vervangt vanaf 1 januari 2007 de WVG (Wet voorzieningen gehandicapten).

Wie door ouderdom, een handicap of een chronische ziekte beperkt wordt, kan in de eigen gemeente een aanvraag doen voor zaken als huishoudelijke verzorging, een scootmobiel, een rolstoel, individueel vervoer of aanpassingen in de woning. De vergoedingen verschillen per gemeente.

AWBZ

Iedere Nederlander die door een langdurige ziekte, handicap of ouderdom zorg en ondersteuning nodig heeft, is hiervoor verzekerd via de Algemene Wet bijzondere ziektekosten (AWBZ). Heeft u bijvoorbeeld verpleging nodig, dan zorgt de AWBZ ervoor dat de noodzakelijke ondersteuning er komt. Die zorg ontvangt men thuis, in een instelling of als financiële bijdrage. Vestigingen van AWBZ-zorgkantoren vindt u verspreid over heel Nederland. Huishoudelijke verzorging valt vanaf 2007 onder de WMO.

CIZ (Centrum indicatiestelling zorg)

Om in aanmerking te komen voor de AWBZ moet eerst worden vastgesteld of de gevraagde zorg noodzakelijk is. Ook het soort zorg en het aantal zorguren moeten worden bepaald. Bij elkaar wordt dit een indicatiestelling genoemd. Het CIZ is een onafhankelijke organisatie die de behoefte aan zorg objectief vaststelt. Voor de indicatiestelling heeft het CIZ informatie nodig over uw situatie. Soms wordt daarbij ook de behandelend arts geraadpleegd. In bepaalde gevallen worden aanvragen telefonisch afgehandeld. Een bezoek van het CIZ aan huis of een bezoek aan een spreekuur bij het CIZ behoren ook tot de mogelijkheden. Dit verschilt per gemeente. Binnen zes weken na de aanvraag hoort u schriftelijk een indicatiebesluit te ontvangen. Daarin staat aangegeven op wat voor soort hulp u recht heeft, op welke hoeveelheid en voor welke periode. Mocht er op den duur meer hulp nodig zijn, dan moet er een nieuwe indicatie worden aangevraagd. De geboden hulp kan daarmee worden uitgebreid of gewijzigd.

MEE

MEE ondersteunt mensen die hun zorg niet (helemaal) zelf kunnen regelen. Zo helpt MEE bijvoorbeeld bij het indienen van een aanvraag bij het CIZ. Ook bij problemen op het gebied van onder andere wonen, vrije tijd of opvoeding biedt MEE ondersteuning bij het zoeken naar oplossingen. MEE helpt mensen met raad en daad bij het zelfstandig deelnemen aan de samenleving.

Persoonsgebonden budget (PGB)

Zodra de indicatie via het CIZ is vastgesteld, is duidelijk op welke zorg u recht heeft. Deze kan men tegenwoordig op twee manieren ontvangen:
- *in natura, bijvoorbeeld als hulp via de thuiszorg*
- *als persoonsgebonden budget (PGB)*

In het laatste geval wordt een bedrag uitgekeerd waarmee men zelfstandig hulp kan inkopen. Hij of zij bepaalt in dat geval zelf wanneer, hoe en door wie er hulp wordt geboden. Een combinatie van hulp in natura en het PGB is ook mogelijk. De verpleging loopt dan bijvoorbeeld via de thuiszorg, maar de huishoudelijke hulp regelt men zelf. Het persoonsgebonden budget wordt uitbetaald aan degene die de hulp nodig heeft. Hiermee kan hij of zij ook de eigen mantelzorger betalen. De vaste verzorger treedt dan in dienst van degene die verzorgd wordt. In de praktijk is de mantelzorger vaak degene die daarbij de praktische zaken regelt. Dit geldt vooral als het persoonsgebonden budget wordt uitgekeerd aan iemand die niet in staat is dit zelf te doen, bijvoorbeeld bij een dementerende partner. De volgende soorten hulp en begeleiding kunnen met het PGB worden bekostigd:

Hulp en begeleiding PGB

- huishoudelijke taken
- persoonlijke verzorging zoals wassen, aankleden en eten
- verpleging zoals wondverzorging en medicijnbegeleiding
- ondersteunende begeleiding thuis en buiten de deur
- activerende begeleiding om beter te functioneren
- behandelingen
- tijdelijk verblijf zoals weekend- of vakantieopvang

Bezwaar
Is de hulpvrager het niet eens met de hoogte van het PGB, dan kan een bezwaar worden ingediend bij het CIZ. De zorgovereenkomst kan voorlopig onder protest worden ondertekend, zodat in ieder geval het te lage budget vast wordt uitgekeerd. Op de zorgovereenkomst moet in een dergelijke situatie worden vermeldt dat er een bezwaarschrift volgt bij het CIZ.

Mantelzorger in loondienst
Wie als mantelzorger betaald wordt uit het PGB is voortaan bij degene die wordt verzorgd in loondienst. In de praktijk wordt zo bijvoorbeeld de echtgeno(o)t(e) van de mantelzorger van de ene op de andere dag zijn of haar werkgever. Hierbij zal de mantelzorger zich niet ineens aan strikte orders moeten houden, maar toch kan het verstandig zijn om goede afspraken te maken over beschikbaarheid en zorgtaken. Degene die zorg ontvangt en over een PGB beschikt is verplicht om voor een salarisadministratie te zorgen. De bestedingen moeten namelijk worden verantwoord. Hierbij kan men hulp ontvangen. Wanneer iemand meer dan twee dagen per week een mantelzorger in dienst heeft, wordt de salarisadministratie verzorgd door de sociale verzekeringsbank. De zorgvrager ontvangt een formulier waarop alle bestedingen kunnen worden ingevuld.

De inkomengrens verandert

Het met de mantelzorg verdiende geld wordt als inkomen gezien. Het is goed om van tevoren te bekijken of dit geen nadelige financiële gevolgen heeft. Door een verhoging van het gezinsinkomen kunnen namelijk bepaalde regelingen of voorzieningen komen te vervallen. Misschien stijgt het totale inkomen tot net boven de grens voor bijvoorbeeld de huursubsidie. Ook is het goed te weten dat er geen pensioen wordt opgebouwd.

WW-uitkering in combinatie met mantelzorg/vrijwilligerswerk

Vanaf juli 2005 is het mogelijk om vrijwilligerswerk te doen of mantelzorg te verlenen met behoud van een uitkering. De sollicitatieplicht vervalt daarbij. Wie op 31 december 2003 57,5 jaar of ouder was, komt in aanmerking. Wie na deze datum werkeloos is geworden, moet ten minste één jaar actief op zoek geweest zijn naar betaald werk. Vrijwilligerswerk wordt wettelijk omschreven als onbetaald en niet-verplicht werk met maatschappelijk nut. Mantelzorg is noodzakelijke zorg voor een ziek of gehandicapt familielid of bevriend persoon. Mantelzorg in combinatie met vrijwilligerswerk is ook mogelijk, als er in totaal maar twintig uur aan genoemde taken wordt besteed. Ook dan geldt er geen sollicitatieplicht. Men heeft daarbij recht op 65 dagen (dertien weken) vakantie per jaar. Vanaf oktober 2006 kan iedereen op grond van persoonlijke omstandigheden een tijdelijke ontheffing van de sollicitatieplicht aanvragen voor zes maanden, met een mogelijke verlenging tot twaalf maanden.

Waar vindt u de instanties?

Bij de gemeente waarin u woont, kunt u terecht voor alle adressen van de genoemde instanties. Deze verschillen per regio.

Contact met lotgenoten

Wie een paar mantelzorgers met elkaar in gesprek ziet, constateert al snel dat ze aan een half woord genoeg hebben om elkaar te begrijpen. Veel situaties en gevoelens zijn direct herkenbaar en daarover praten lucht op. Ervaringen worden uitgewisseld en naast de emotionele zaken komt ook de praktische verzorging aan bod. Vindingrijke oplossingen die de verzorging makkelijker maken bijvoorbeeld, of aanpassingen in en om het huis. Ook ervaringen met de diverse instanties worden uitgewisseld. Door met elkaar te praten ontdek je dat gevoelens als eenzaamheid, frustratie, onzekerheid en verdriet ook bij anderen voorkomen. Alleen al deze wetenschap maakt dat je sterker in je schoenen staat.

Mezzo voor ondersteuning en contact met lotgenoten

Mezzo is de landelijke vereniging voor mantelzorgers en vrijwilligerszorg. Per 1 januari 2006 is Mezzo ontstaan uit een fusie tussen LOT, Vereniging van Mantelzorgers en Xzorg, landelijke vereniging van Steunpunten Mantelzorg en Vrijwillige Thuishulp. Samen met zo'n 250 regionale lidorganisaties biedt

Mezzo ondersteuning aan mantelzorgers en de vrijwilligerszorg. Mezzo brengt ook knelpunten en problemen van mantelzorgers en vrijwilligerszorg onder de aandacht van landelijke, provinciale, regionale en lokale beleidsmakers en politici. Leden van Mezzo ontvangen gratis sociaal en juridisch advies, korting op de 'Zorg voor jezelf dagen' en vier keer per jaar het ledenblad. Verder zijn leden van harte welkom op de jaarvergadering om mee te beslissen over het beleid. Het lidmaatschap bedraagt tien euro per jaar.

De bij Mezzo aangesloten Mantelzorg Steunpunten vindt u op verschillende plaatsen in Nederland. Deze organisaties bieden informatie en ondersteuning in de regio. Regelmatig zijn er ontmoetingen en themabijeenkomsten, waar lotgenoten elkaar kunnen ontmoeten. Ook worden er cursussen georganiseerd, bijvoorbeeld over tiltechnieken.

Via de Mantelzorglijn kunnen allerlei vragen worden gesteld over adressen in de buurt, vervangende mantelzorg en andere ondersteuning. De vereniging is heel goed op de hoogte van de problemen waar mantelzorgers tegen aanlopen.

Tijdens de 'Zorg voor jezelf dagen' kunnen mantelzorgers weer tot zichzelf komen. Niet het welzijn van de hulpvrager, maar dat van de mantelzorger staat tijdens deze dagen centraal. De kosten voor deze bijeenkomsten zijn sterk gereduceerd omdat het rijk hieraan bijdraagt.

Hulp van een ergotherapeut

Het lijkt zo logisch: de mantelzorger doet alles wat de ander niet zelf kan. De vraag 'zou hij of zij dat met de nodige aanpassing niet zelfstandig kunnen?' komt niet direct bij iedereen op. De ergotherapeut neemt deze vraag juist als uitgangspunt. Hoe zelfstandiger iemand met een ziekte of een handicap kan functioneren, hoe beter. Soms moeten daarvoor gewone handelingen weer opnieuw worden aangeleerd, soms ook op een andere manier. De ergotherapeut kan daarbij vertellen wat voor hulpmiddelen er voor welke activiteiten bestaan.

Samen oefenen om deze hulpmiddelen te gebruiken hoort ook bij de ondersteuning. Heel gewone dingen als uit een stoel opstaan, de telefoon aannemen, knopen dichtmaken of een douche nemen kunnen soms met de nodige begeleiding en aanpassing weer zelfstandig worden uitgevoerd. Al deze hulp wordt verleend in de eigen thuisomgeving.

Niet iedereen die verzorgd wordt, reageert vol zelfvertrouwen op een voorstel om een ergotherapeut in te schakelen. Toch moet deze mogelijkheid serieus worden overwogen. Al gaat het niet altijd direct om spectaculaire verbeteringen, alle kleine beetjes helpen en ontlasten de mantelzorger zowel geestelijk als lichamelijk in de dagelijkse zorg.

Kleinkinderen zijn geliefd

Nietsvermoedend neem je de telefoon op en binnen enkele minuten is er voorgoed iets wezenlijks veranderd in je leven: je wordt opa of oma! Veel senioren ervaren deze gebeurtenis als bijzonder positief. Vol verwachting wordt meegeleefd met de zwangerschap en uitgekeken naar de geboorte. De eerste aanblik van zo'n hummeltje in de armen van je zoon of dochter is voor bijna iedereen een onvergetelijke ervaring. Zelfs de nuchterste types houden de ogen daarbij maar met moeite droog. Vol trots worden de eerste (digitale) foto's geshowd of verzonden. Genieten dus, maar ook meeleven met darmkrampjes, tandjes krijgen en die nare prikken.

Oppassen is populair: volgens het CBS wordt de helft van alle werkende ouders in Nederland bijgestaan door oma's en opa's. In de praktijk betekent dit dat er meer kinderen worden opgevangen door hun grootouders dan door de diverse kinderopvangplaatsen. Dit is al jaren zo en op korte termijn is daarin geen verandering te verwachten. Ook uit de interviews bleek dat een grote groep vutters en gepensioneerden geregeld op de kleinkinderen past. Van de honderd geïnterviewden heeft 70 procent één of meer kleinkinderen. Ruim 38 procent hiervan past regelmatig op. Bijna 42 procent past af en toe op. Een gedeelte hiervan gaf aan dat ze dit bij voorkeur alleen doen als het echt nodig is. Bij 20 procent is er helemaal geen sprake van oppassen. De kleinkinderen wonen te ver weg of zijn inmiddels te groot voor een oppas.

Wel of niet oppassen

Een geïnterviewde man vertelde dat hij erg genoot van het feit dat hij zo uitgebreid de tijd had voor zijn kleinkinderen. Toen zijn eigen kinderen klein waren, werkte hij van 's morgens vroeg tot 's avonds laat op het land. Als hij in de avond thuiskwam lagen de kleintjes al te slapen en 's morgens bij zijn vertrek waren ze nog in diepe rust. Hij had daardoor een hoop gemist en was nu als het ware de schade aan het inhalen. Andere geïnterviewden gaven juist aan na al die jaren van 'vaderen en moederen' erg blij te zijn met hun vrijheid. Al te grote concessies daaraan doen ze liever niet. Oppassen in tijd van nood blijft altijd mogelijk en de kinderen hebben daar in de meeste gevallen wel begrip voor. Door onvoorziene omstandigheden loopt het in de praktijk soms toch anders dan gepland. Hoe sterk sta je in je schoenen als de man van je dochter zijn koffers pakt en haar met twee kleintjes achterlaat? Hoe erg is één dag in de week oppassen als je kinderen daardoor eerder hun flatje kunnen inruilen voor een fijn benedenhuis met een tuin? Tot slot moeten ook de consequenties van een onverwachte verliefdheid niet worden onderschat; eenmaal met een kleinkind in de armen wilt u misschien niets liever meer dan het kleintje verzorgen en vertroetelen. Aspirant-grootouders: u bent gewaarschuwd!

'Begin alleen aan dingen doen die je graag doet.'

In goede harmonie

Ging u vroeger op eenzelfde manier met uw kinderen om als uw ouders met u in uw jonge jaren? Waarschijnlijk niet. De inzichten en omstandigheden rond bijvoorbeeld voeding, spelen, leren, slapen en gezondheid zijn nogal veranderd in de loop der jaren. Daarbij is één ding echter onveranderd gebleven: de behoefte van het kind aan warmte, geborgenheid en aandacht. Opa's en oma's kunnen hieraan een belangrijke bijdrage leveren. Daar zijn geen bijzondere kunststukjes of dure evenementen voor nodig. Een verheugd gezicht bij het weerzien, een bewonderende opmerking over een tekening, een troostende aai over de bol: als oma of opa er voor je is dan is het leven goed. Zijn de opvattingen over de manier waarop u met uw kleinkinderen omgaat nogal afwijkend van die van hun ouders, probeer hier dan samen over te praten. Doe dit zo mogelijk niet als de kinderen erbij zijn. Zelf de allerkleinste en schattigste hummeltjes zijn in staat om ouders en grootouders tegen elkaar uit te spelen.

Grote zorgen

Moet u met lede ogen aanzien dat uw kleinkinderen het zwaar te verduren krijgen in hun thuissituatie of heeft u hier ernstige vermoedens over, dan bevindt u zich in een bijzonder netelige positie. Zelfs als je zeker weet dat er sprake is van mishandeling of misbruik, dan nog geef je niet zomaar je eigen kind aan bij een instantie. De situatie voort laten duren is ook geen oplossing. Uw kleinkind heeft (uw) hulp nodig. Wilt u advies over dit onderwerp, dan kunt u uw zorgen vertrouwelijk bespreken met een van de medewerkers van het AMK (Advies en Meldpunt Kindermishandeling). Gaat het alleen om advies, dan kunt u anoniem blijven. Het AMK hoeft dan geen namen te weten. Niet van het kind, niet van het gezin, niet van u. Met een AMK-medewerker kunt u nagaan of u zich terecht zorgen maakt en wat u mogelijk kunt doen voor het kind. Dat kan in een of meerdere gesprekken. Deze zijn vertrouwelijk, dus wat er besproken wordt blijft tussen u en de medewerker. Het AMK onderneemt geen actie richting het gezin. Bij een melding liggen de zaken anders. Zijn er daarbij toch dringende redenen om anoniem te blijven, dan zorgt het AMK ervoor dat de informatie in het dossier niet tot u te herleiden is.

Veiligheid in en om huis

Een schommeltje, een zandbak in de tuin, een mand met speelgoed en voorleesboekjes op de bank: de meeste kleinkinderen worden met veel aandacht en plezier ontvangen. Opa's en oma's pikken snel de draad weer op en hebben daarbij meestal ook uitgebreid aandacht voor de veiligheid van de kleintjes.

Ondanks hun goede zorgen en ook die van de ouders gaat het toch nogal eens mis. In 2004 werden er in Nederland 160.000 thuisongevallen gemeld. Daarbij ging het 59.000 keer om ongevallen met kinderen. Een continu wakend oog blijft in alle omstandigheden onmisbaar. Van het ene op het andere moment kan zo'n kleintje zich ineens omdraaien, de trap opklauteren of een stoel naar het aanrecht slepen. Een ongelukkige val van de commode, uit bed, van de trap of van de bank is snel gemaakt. Het nemen van voorzorgsmaatregelen kan een hoop narigheid voorkomen, maar ook met de beste voorzieningen blijft het oppassen. De volgende aandachtspunten kunnen helpen om de nodige veiligheid en daarmee ook de nodige rust te creëren:

- beveiliging stopcontacten
- een degelijk traphekje
- afsluithaakjes voor kastdeurtjes en laden
- veiligheidsklemmen op ramen en deuren
- een gifwijzer op een vaste en bekende plek
- de nodige rookmelders
- stoothoeken en stootranden op scherpe hoeken
- aandacht voor de leeftijdsindicatie op speelgoed
- een aankleedkussen met opstaande randen
- fornuishekje tegen het verschuiven van pannen
- een ovenruitbeschermer
- een degelijk kinderopstapje
- een goedgevulde verbandtrommel
- voorlichtingsfolders van het consultatiebureau
- het zo nodig buiten bereik zetten van giftige planten
- degelijke afscherming van de tuinvijver(tjes)
- een veilig bedje

Veilig slapen

Het is best verleidelijk om na al die jaren dat leuke kinderbedje weer van zolder te halen, maar veiligheid gaat voor nostalgie. De inzichten rond veilig slapen zijn inmiddels gewijzigd en niet alle bedjes voldoen aan de huidige normen.

Wiegendood

Na uitgebreid onderzoek en goede voorlichting is in Nederland het aantal kinderen dat aan wiegendood overlijdt sterk verminderd. Ons land geldt als internationaal voorbeeld op dit gebied, mede door de volgende aanbevelingen:

Veilig slapen

- na twee weken het kind op de rug te slapen leggen
- slaapzakje gebruiken of een niet te dik dekentje en lakentje
- dekbedjes worden afgeraden
- kamer niet te warm, na twee weken is 16-18 °C voldoende
- een rookvrije omgeving is heel belangrijk
- een spijlafstand van minimaal 4,5 cm en maximaal 6,5 cm.
- een stevig en goed aansluitend matrasje
- voldoende afstand tussen bedje en (gordijn)koorden en snoeren
- voorkom vallen, uit een hoog bedje is de val nog groter

Via het consultatiebureau zijn diverse folders beschikbaar over de veiligheid van opgroeiende kinderen. Vraag bij twijfel om advies.

Met de kinderen op stap

'We gaan met de trein!' is de enthousiaste juichkreet na een telefoontje van opa. Een dagje uit met de kleinkinderen staat op het programma en dat wordt genieten. De trein is al een goed begin, want de meeste kinderen worden overal met de auto heen gereden. In de leeftijd van vier tot en met elf jaar reizen ze voordelig mee met een Railrunnerkaartje voor twee euro per dag per kind (maximaal drie kinderen). Een dagje op stap met de kleinkinderen is voor veel grootouders een heerlijke belevenis. Je hebt ze echt een dagje voor jezelf en verwennen mag. De bestemming hoeft niet altijd een bekende attractie te zijn. Voor wie opziet tegen de drukte, de rijen en de prijzen zijn er heel veel leuke alternatieven.

Op de website www.uitmetkinderen.nl vindt u een uitgebreid en afwisselend aanbod. Heeft u zelf geen computer, dan kunt u misschien met hulp van iemand anders deze website bezoeken. Er staan wel 975 kinderuitjes op beschreven. Er kan worden gezocht op omgeving, leeftijd, prijs en soort attractie. Bij alle vermeldingen wordt aangegeven of deze 'rolstoelvriendelijk' zijn. Misschien kun u eerst zelf een voorselectie maken en de kinderen hieruit laten kiezen. De kans dat het uitje aansluit bij uw budget, energie en stressbestendigheid is dan groter. Om u vast in de stemming te brengen vindt u hiernaast zomaar wat voorbeelden van de website:

- huifkarverhuur
- speurtocht door paleis het Loo
- Linnaeushof
- poppentheater
- kindercursus
- klimwand
- struisvogelboerderij
- kinderpartijtjes
- bosmuseum
- pannenkoekenboot
- Space Expo
- Sprookjeswonderland
- Archeon
- Dierenpark Wissel Epe
- geitenboerderij
- (overdekte) speelparadijzen
- boottochtjes
- Piratenland
- zeeaquarium
- Avifauna
- IJsbaan
- tropische vlindertuin
- midgetgolf
- duinstepsafari
- reptielenzoo
- karten
- Euromast
- speelgoedmuseum
- moestuinmiddag
- Drievliet
- kinderboerderijen
- bouwspeelplaats
- Muiderslot
- knutselinloop
- Tikibad Wassenaar

Verdriet rond echtscheidingen

Niet iedereen verkeert in de gelukkige omstandigheid te kunnen genieten van de kleinkinderen. Op elke drie huwelijken houdt er maar één stand en zijn daarbij kinderen in het spel, dan blijft tachtig procent van deze kinderen bij hun moeder wonen. Bij één op de drie gescheiden vaders wordt het contact met de kinderen uiteindelijk al dan niet op eigen initiatief verbroken. Het gevolg hiervan is dat zo'n veertienduizend opa's en oma's hun kleinkinderen niet meer te zien krijgen. Een droevige ontwikkeling, waarvoor niet direct een oplossing voorhanden is. Als de gescheiden ouders niet meer normaal met elkaar omgaan is een goed contact met de ex-schoonzoon of ex-schoondochter bijna niet mogelijk. Als oma en opa zou je in een dergelijke situatie je kleinkind graag de nodige steun en afleiding bieden, maar in veel gevallen is dit niet mogelijk.

Voor informatie en adviezen rond problemen met de kinderen en kleinkinderen kunt u terecht bij het KOG (Kinderen-Ouders-Grootouders). Het KOG is een stichting door en voor ouders en grootouders met problemen rond een scheiding, omgang, ondertoezichtstelling, uithuisplaatsing, ontheffing en ontzetting.

Het boek *Als je kind gaat scheiden, handboek voor ouders en grootouders*, van Marijke en Manon Sikkel, behandelt deze materie en wordt door de stichting KOG van harte aanbevolen (ISBN 90.6834.199.5).

In beweging blijven loont

Dat bewegen gezond is, zal niet gauw worden tegengesproken maar wat zijn nu precies de effecten ervan? Moeten we wel zonodig massaal in actie komen en wordt het 'in beweging blijven' niet een beetje overtrokken? Wie zich verdiept in de pluspunten komt al snel tot een andere conclusie. 'Bewegen is een zegen'; deze woorden zouden op een mooi bordje in onze huiskamers moeten prijken. Je conditie, je uiterlijk en ook je humeur zijn erbij gebaat en de kans op een gezond en actief seniorenbestaan wordt er aanmerkelijk door vergroot. De informatie in dit hoofdstuk is bedoeld als extra aanmoediging om vooral in beweging te komen of te blijven.

Bijna zestig procent van de geïnterviewden gaf aan regelmatig iets aan beweging te doen. Wandelen en fietsen zijn daarbij het populairst. Rond de 55 procent is hier vrij actief mee bezig en er worden, al dan niet in fiets- of wandelclubs, jaarlijks behoorlijke afstanden afgelegd. Verder noemden de geïnterviewden activiteiten als zwemmen, tennis, skeeleren, golf, trimmen, hardlopen, cricket, handbal, volleybal, paardrijden, langlaufen en skiën. Een enkeling staat nog fanatiek op de schaats. Fitness, al dan niet onder begeleiding, is ook een gewaardeerde manier om de conditie op peil te houden.

Je voelt je beter

Mensen die regelmatig bewegen voelen zich fitter, energieker en vrolijker. De conditie neemt toe en er treedt minder snel een gevoel van vermoeidheid op bij inspanningen. Ook komen bij het bewegen stoffen vrij waardoor men zich opgewekter voelt. Bij lusteloosheid of somberheid kan daarom alleen al een dagelijkse wandeling snel voor verbetering zorgen.

Omgekeerd raken we door te weinig beweging in een neerwaartse spiraal. Wie niet zo lekker in zijn vel zit en nergens zin in heeft, staat vaak al later op; geen baas of collega die op je wacht. Overdag is er ook niet veel verplichte actie, dus kan er van alles en nog wat worden uitgesteld. Door te weinig beweging raak je in een soort impasse en op een gegeven moment word je zelfs al moe als je voor de televisie hangt. De kans op voldoende beweging wordt zo alsmaar kleiner. Niet alleen lichamelijk, maar ook geestelijk is de fut eruit. Om deze situatie te doorbreken is geen uitgebreid sportprogramma nodig. Dagelijks er even opuit, de frisse lucht in en diep ademhalen is voldoende. Na een halfuurtje wandelen of fietsen zit de bank ineens een stuk beter en al binnen een paar dagen ga je als vanzelf uitkijken naar wat beweging. In actie komen kost steeds minder moeite.

Minder risico

Door regelmatig te bewegen nemen de risico's op een groot aantal kwalen beduidend af. De kans op ernstige aandoeningen als hart- en vaatziekten, diabetes, gewrichtsklachten en botontkalking vermindert.

Spierkracht

Beweging zorgt ook voor meer spierkracht. Ook op oudere leeftijd kan best nog behoorlijk wat worden gepresteerd. De spieren moeten dan wel in conditie worden gehouden of gebracht. Wanneer ze niet of nauwelijks in actie komen gaat het snel bergafwaarts. Het bewijs hiervan zie je als na enkele weken een arm of been weer uit het gips mag. De spieren moeten revalideren en weer op krachten komen.

Evenwicht en reactie

Bewegen verbetert het evenwicht en het reactievermogen. De kans op vallen wordt daardoor verkleind. Een niet te verwaarlozen pluspunt, want jaarlijks overlijden in Nederland 1700 mensen van 55 jaar en ouder ten gevolge van een valpartij in en om de woning! In minder ernstige gevallen gaat het vaak om botbreuken, maar deze genezen met het klimmen der jaren steeds langzamer. Letterlijk en figuurlijk op de been blijven is daarom alle aandacht waard.

Hart en longen

Beweging laat niet alleen het hart maar ook de longen harder werken. Een grotere longinhoud geeft meer lucht. Dit draagt direct bij aan een betere conditie en vermindert kortademigheid. Ook onze hersenen werken beter: meer zuurstof bevordert het concentratievermogen.

Goed voor de lijn

Wie last heeft van overgewicht is zeker gebaat bij extra beweging. Bewegen brengt de spijsvertering op gang en verbrandt daarbij ook nog eens de nodige calorieën. Bij flink doorwandelen verbruikt u ongeveer vierhonderd calorieën per uur.

Gezonde nachtrust

Voor wie aan slapeloosheid lijdt, biedt een actiever programma mogelijk ook een oplossing. Bewegen ontspant de geest en ook de spieren. Na een uurtje zwemmen of wandelen in de avond volgt vaak een weldadige slaap.

Minder pijn

Bewegen met pijnklachten lijkt in eerste instantie niet voor de hand te liggen, maar heel veel klachten ontstaan juist door een gebrek aan beweging. Slappe spieren, een verkeerde houding en een gebrekkige spijsvertering veroorzaken klachten als rugpijn, buikpijn en gewrichtspijnen. Met een juiste begeleiding kan beweging in veel gevallen voor verbetering zorgen.

Gezond uiterlijk

Voor wie er graag zolang mogelijk goed wil blijven uitzien, is beweging onmisbaar. Een betere doorbloeding van de huid zorgt om te beginnen voor een gezonde en frisse teint. Door de spieren actief te houden verbeteren we onze houding en de manier waarop we ons bewegen. Niet de paar rimpeltjes in ons gezicht, maar de stramme manier van opstaan, de afhangende schouders en de sloffende manier van lopen maken dat iemand er al snel ouder uitziet.

Tijd voor actie

Wie regelmatig beweegt zal veel van de genoemde pluspunten herkennen. Voor anderen vormt deze opsomming misschien een goede aanleiding om het onderwerp bewegen (weer) boven aan de agenda te zetten. Vaak zijn de voornemens er wel, maar komt het er gewoon niet van en de weken vliegen om zonder dat er iets concreets gebeurt. Een activiteit met anderen afspreken helpt. Iemand die vrolijk in wandeltenue voor de deur staat, stuur je niet zomaar weg.

Ook een vast tijdstip reserveren is een manier. Als u maandagavond al weet dat u dinsdagochtend gaat zwemmen en 's avonds uw zwemspullen klaarlegt, is de kans groter dat u ook echt gaat. Lid worden van een vereniging is ook een goede stok achter de deur. Bij een potje volleyballen met leeftijdgenoten gaat het er meestal niet al te fanatiek aan toe en het vooruitzicht van een gezellige ochtend helpt u misschien de deur uit.

De aanschaf van een hond kan een goede aanleiding zijn om dagelijks een stevige wandeling te maken. Daarbij moet natuurlijk eerst serieus worden overwogen of zo'n trouwe viervoeter echt welkom is en of deze 'wandelmaat' bij vakantieplannen geen roet in het eten gooit.

Hoeveel beweging is nodig?

Het advies van de Wereldgezondheidsorganisatie (WHO) komt in grote lijnen op het volgende neer: beweeg minimaal gemiddeld zo'n half uur per dag. Dit hoeft niet een aaneengesloten periode te zijn. Lever tijdens de beweging een matige tot redelijke inspanning. Als het goed is merkt u dat u wat steviger gaat ademhalen. Als u uw pols voelt zal uw hartslag sneller zijn dan in rust. Raakt u tijdens de inspanning zo erg buiten adem dat u nauwelijks meer kunt praten of heeft u veel tijd nodig om weer bij te komen, doe dan een stapje terug. Meer bewegen dan een halfuur per dag is uiteraard ook prima. Overdrijf niet en bouw uw activiteiten rustig op. Zelfs jonge professionele sporters werken stap voor stap aan hun conditie. Start u van niets naar iets en vergt dat 'iets' nogal een forse inspanning, dan is een sportkeuring een verstandige optie. Informeer bij uw ziektekostenverzekering. Vaak worden deze keuringen gedeeltelijk vergoed.

Blessures

Per jaar lopen meer dan een miljoen sporters een min of meer ernstige blessure op. Een groot deel van deze blessures kan worden voorkomen door van start te gaan met het in beweging zetten van de hersenen. Niet dat er dan niets meer fout kan gaan, maar het nemen van goede voorzorgsmaatregelen kan een hoop narigheid voorkomen. De volgende zaken kunnen daarbij al dan niet van toepassing zijn:

Voorzorgsmaatregelen

- een sportkeuring
- een geleidelijke opbouw van de inspanning
- voldoende rust- en hersteltijd
- de juiste kleding en/of schoeisel
- beschermende attributen als bandages, helm en kniebeschermers
- instructie over specifieke vaardigheden of technieken
- advies over warming-up en cooling-down
- een begeleiding op maat bij gezondheidsproblemen
- advies bij medicijngebruik
- een sport die binnen uw mogelijkheden ligt
- medesporters op gelijk niveau
- voldoende vocht
- een voedingsadvies bij veelvuldige en/of langdurige inspanning
- een aangepast schema bij extreme weersomstandigheden

Beweegt u samen met anderen, laat u dan niet opjutten tot risicovolle prestaties. Bepaal uw eigen tempo en vraag hierover zonodig advies aan een deskundige. Via uw huisarts kunt u met al uw vragen terecht bij een (medisch) sportadviescentrum.

Beweeg met plezier

Hoe meer plezier u heeft in een activiteit, hoe groter de kans dat u deze ook gedurende een langere periode volhoudt. Als het goed is, heeft u nu meer tijd en gelegenheid om een activiteit te zoeken die bij u past. Bedenk of u liever in een groep, met iemand samen of alleen in actie wilt komen. Een sport in spelvorm zoals volleybal of tennis houdt vaak automatisch de gang erin, maar een ander stapt liever vrij en ongebonden op de fiets. Een en ander hangt natuurlijk ook af van uw leeftijd en uw mogelijkheden. Ook de kosten van de diverse activiteiten lopen nogal uiteen. Paardrijden en golfen zijn nu eenmaal duurder dan wandelen en fietsen. Wie gezegend is met een flinke tuin kan zich daar ook behoorlijk in uitleven. Hou daarbij wel in gedachten dat de jaarlijkse winterrust alleen goed is voor de tuin.

Beweging inbouwen in de dag

In vroeger tijden vergde het huishouden heel wat meer beweging dan tegenwoordig. Dweilen, wringen, de stoep schrobben, met emmers water sjouwen, kolen scheppen, grasmaaien, de was opkoken, vloerkleden kloppen: er moest met grote regelmaat lichamelijke arbeid worden verricht. Die tijd willen we liever niet meer terug, maar het comfort waarmee we vandaag de dag worden omringd leidt wel eerder tot bewegingsarmoede. Heel veel taken zijn inmiddels overgenomen door allerhande apparaten en alleen de afstandsbediening voor het koffiezetapparaat lijkt nog te ontbreken. Daarbij zijn we meestal ook nog eens voorzien van een auto. Regelmatig bewegen tijdens onze dagelijkse bezigheden vergt dus een zekere mate van creativiteit. Pak waar mogelijk wat vaker de benenwagen, de fiets en de trap. Stap een halte eerder uit als u met de bus of tram reist. Leg dingen niet op de trap, maar breng ze direct naar boven (ook wel zo veilig).

Heeft u een ongebruikt fitnessapparaat, zet dat dan bij de televisie. De combinatie van kijken en bewegen is misschien aantrekkelijker. Gooi de was wat minder snel in de droger als u deze ook buiten kunt ophangen. Bedenk waar mogelijk nog andere momenten waarop u even in beweging kunt komen.

Anders denken

Probeer lichamelijke inspanningen niet direct als een vervelend ongemak te ervaren, maar als een nuttige bezigheid. Neem er de tijd voor en let ook eens op het functioneren van een en ander. Raapt u nog soepel iets van de grond? Staat u nog vlot op uit een stoel? Als u verder gezond bent maar bij de minste inspanning uw lichaam voelt protesteren, wordt het hoog tijd om in actie te komen. Herwin met een paar simpele gymnastiekoefeningen per dag uw veerkracht en geniet van uw vorderingen.

Bewegingsideeën

Tot slot van dit hoofdstuk vindt u op de volgende pagina een verzameling bekende en minder bekende activiteiten. Niet alle onderwerpen zijn daarbij voor iedereen geschikt, maar het bij voorbaat weglaten is na enige opmerkelijke prestaties van geïnterviewden niet meer aan de orde.

Bewegen is een zegen

- atletiek
- badminton
- basketbal
- bowlen
- dansen
- duiken
- fietsen
- fitness
- golfen
- gymnastiek
- handbal
- hardlopen
- jeu de boule
- kanovaren
- kegelen
- koersbal
- langlaufen
- midgetgolf
- nordick walk
- paardrijden
- roeien
- schaatsen
- skeeleren
- skiën
- snorkelen
- squash
- surfen
- tafeltennis
- tai chi
- tennis
- trimmen
- tuinieren
- vliegeren
- voetbal
- volleybal
- wandelen
- zeilen
- zwemmen

Recreatie, vakantie en overwinteren

Twee senioren zitten op een doordeweekse dag heerlijk geïnstalleerd aan een picknicktafel in het bos. Lunch, koffie, fris en tijdschriften zijn binnen handbereik en de schaduw van de bomen houdt de temperatuur aangenaam. Afgezien van een enkele voorbijganger is het doodstil. Op een halfuur fiets-afstand ligt de grote stad en je vraagt je af waarom niet meer mensen op een dergelijke manier van hun vrijheid genieten. Tijdens vakanties doen we niet anders: we bezoeken bezienswaardigheden, maken wandelingen en fiets-tochten en genieten met volle teugen. Eenmaal thuis schiet het recreëren er weer bij in. Maandag moet zus, dinsdag moet zo, dan en dan komen die en die. De weken vliegen om en niet alleen het 'wat vaker op vakantie', maar ook de voorgenomen wandelingen in de natuur komen er niet van. Is dit ook op u van toepassing, noteer dan bij voorbaat de nodige recreatiedagen, weekendjes weg en vakantieweken in uw agenda. Maak leuke plannen, verheug u erop en houd andere afspraken voor die dagen op een afstand. Geniet nu het nog kan van uw mogelijkheden. Komt het ooit zover dat u niet meer zelfstandig de deur uit kunt, dan heeft u in ieder geval iets om met plezier op terug te kijken.

Recreatie wordt in het woordenboek omschreven als 'ontspanning in de vrije tijd'. Die vrije tijd is meestal geen probleem voor wie niet meer werkt, maar het ontspannen is daarbij niet vanzelfsprekend. Ook als u thuis bent, is het goed om af en toe even afstand te nemen van de kleine en grote zorgen om u heen. De dagelijkse gang van zaken doorbreken werkt verfrissend en geeft nieuwe energie. Echt ver hoeft u daarvoor niet te gaan. Ongeacht of u veel of weinig te besteden heeft, valt er alleen al in ons eigen land meer te recreëren dan een mens in zijn hele leven aankan.

'Heerlijk, zomaar midden in de week op de fiets.'

Wandelen en fietsen favoriet

Maar liefst 58 procent van de geïnterviewden noemde wandelen een geliefde bezigheid en 56 procent stapt regelmatig met plezier op de fiets. Er worden ettelijke kilometers afgelegd, soms in alle rust alleen maar veel vaker met part- ners, vrienden en familieleden. Zowel het wandelen als het fietsen biedt veel voordelen ten opzichte van andere activiteiten: ze zijn nagenoeg gratis, vaak tot op hoge leeftijd vol te houden, niet direct aan plaats of tijd gebonden en een garantie voor voldoende frisse lucht.

Wandel- en fietsvriendelijk

Naast de vele wandelmogelijkheden door velden, bossen, dorpen en ste- den biedt ons land ruim 20.000 kilometer aan bewegwijzerde fietsroutes. In 2003 werden circa 426 miljoen recreatieve tochten gefietst, waarbij 3,7 miljard kilometer werd afgelegd! Kaarten en boeken met routes en aanvul- lende informatie voor fietsers en wandelaars zijn in praktisch iedere boek- handel te koop. Ook de (plaatselijke) VVV-kantoren bieden volop interes- sante informatie. Wie via internet zijn licht opsteekt, vindt daar een uitgebreid aanbod aan routes, speciale wandelingen, actuele wijzigingen, clubs, reacties van wandelaars en oproepen voor wandel- en fietsmaatjes. Achter in dit boek vindt u enkele interessante webadressen.

'Ga in hemelsnaam wat doem, blijf in beweging!'

Stichting 'Vrienden op de fiets'

Overnachten voor een vriendenprijs tijdens meerdaagse fiets- of wandeltochten kan als donateur van 'Vrienden op de fiets' door het hele land. Jaarlijks geeft de stichting een boekje uit met meer dan 2650 gastadressen. In de meeste gevallen zijn het particuliere adressen die één of meer kamers beschikbaar stellen. Ook in België en net over de grens in Duitsland zijn dergelijke logeeradressen te vinden. De minimumjaardonatie bedraagt € 7,00 en de kaart is ook geldig voor de partner. Per persoon betaalt u per overnachting € 16,00 inclusief ontbijt en exclusief toeristenbelasting. Enkele geïnterviewden vertelden enthousiast over hun positieve ervaringen met deze manier van vakantie houden. De gastvrije ontvangst en de goede verzorging werden alom geroemd.

Wandelen en fietsen met de NS

Bent u uitgewandeld of -gefietst in uw eigen omgeving? In samenwerking met het Wandelplatform-LAW heeft de NS circa veertig ééndaagse en negen twee- daagse wandeltochten voor u uitgestippeld. U wandelt van station naar stati- on. In samenwerking met de ANWB is er ook een groot aantal fietsroutes samengesteld. De fiets huurt u op het station van aankomst. Op de website van de NS kunnen de routebeschrijvingen gratis worden gedownload. Deze zijn ook beschikbaar op de beginpunten van de routes. Afhankelijk van het reizen per trein en het soort treinkaartje betaalt u hiervoor niets of maximaal circa € 1,80. De beschrijvingen vermelden het adres en het telefoonnummer van de plaatselijke fietsenverhuur.

Het 'Pieterpad'

Iedereen kent wel iemand in de familie of kennissenkring die het Pieterpad (gedeeltelijk) heeft gelopen. Een ruwe schatting van het aantal wandelaars per jaar komt op vijftigduizend, maar dit kunnen er ook veel meer zijn. Er zijn wandelaars die de hele route in één vakantie lopen, maar de meeste doen dit in etappes tijdens weekenden of vrije dagen.

Het Pieterpad is de langste aaneengesloten wandelroute (bijna 500 kilometer) van Nederland en loopt van Pieterburen in Noord-Groningen naar de Sint-Pieterberg in Zuid-Limburg. Groningse klei, Drentse zandgronden, de Sallandse Heuvelrug, de lommerrijke Achterhoek, het Montferland en het langgerekte, gevarieerde Limburg hebben de wandelaars veel te bieden. De route staat beschreven in de gids van het Pieterpad en kan in beide richtingen worden gewandeld. In de gids vindt u ook informatie over de omgeving, open-baar vervoer, horeca, VVV-locaties en onderdak. De gids is verkrijgbaar in de betere boekhandels en bij de meeste VVV's.

'Mijn echtgenote was heel enthousiast bij mijn thuiskomst.
Samen zijn we onze derde jeugd ingegaan.'

Landelijke Oppas Centrale

Een weekje wandelen, een maand op pad met de caravan of op ontdekking in een tropisch land? Wie niet meer werkt kan, als de financiën dit toelaten, vaker en ook langer op vakantie. Huisdieren, planten en de tuin vormen daarbij vaak een praktisch probleem. Alsmaar weer een beroep doen op familie of buren is geen optie, maar thuisblijven terwijl je nog volop kunt reizen en van het leven genieten is zonde.

De Landelijke Oppas Centrale biedt uitkomst. Al meer dan vijfentwintig jaar brengt het LOC duizenden vakantiegangers en betrouwbare oppassers bij elkaar. Het idee van wildvreemde mensen in je huis is wel even wennen, maar in de praktijk zijn de reacties erg enthousiast. Je kunt met een gerust hart op vakantie en de gedachte dat anderen ondertussen een fijne tijd beleven in je huis is ook wat waard. Wie zich inschrijft voor € 70,00 per jaar, krijgt via de web-site toegang tot een uitgebreid actueel overzicht van vraag of aanbod. Je kunt zelf contact opnemen met de gewenste adressen. Wie zich liever per post laat informeren ontvangt eenmaal per week een lijst met vraag of aanbod. Hiervoor worden geen extra kosten in rekening gebracht.

Tijdelijk ruilen van woning kan ook, en wel in meer dan vijftig landen. Veel Nederlanders in het buitenland benutten deze mogelijkheid om een of meer weken op een betaalbare manier in hun vaderland door te brengen. Ondertussen geniet u van een gratis onderkomen in bijvoorbeeld New York, Frankrijk, Ierland of Italië. Als oppas fungeren in een buitenlandse woning is een ervaring op zich. Kennis maken met uw tijdelijke buren in de Smörrebrödstraat 11 is echt wat anders dan een babbeltje maken met de gebruikelijke medetoeristen in het hotel of op de camping. U ziet een land weer eens met andere ogen.

De caravan

Zijn caravans en vouwwagens echt zo typisch Nederlands? Volgens veel buitenlanders wel, en dat is niet zo vreemd. Ons land telt bijna 750.000 exemplaren in alle soorten en maten. Kamperen is voor senioren een favoriete bezigheid, maar zij hebben daarbij wel graag het nodige comfort om zich heen. In een klein tentje op een luchtmatrasje is voor de meesten passé. Een eigen huis(je) op wielen biedt meer gemak en kan aan alle persoonlijke wensen worden aangepast. Daarbij ben je ook een stuk minder afhankelijk van de weergoden. Wanneer buiten het seizoen de temperatuur daalt is het binnen nog goed toeven.

Veel senioren verblijven weken achtereen op hun favoriete stek in binnen- of buitenland. Anderen trekken er regelmatig op uit om nieuwe oorden te verkennen en nieuwe mensen te ontmoeten.

'Als ik een middag zit te lezen krijg ik soms het gevoel dat ik iets nuttigs moet gaan doen. "Verlees je verstand niet", zei mijn oma altijd.'

Vraagt u zich af of deze manier van vakantievieren voor u ook zo ideaal is? Een weekje op pad met een gehuurde caravan biedt misschien duidelijkheid over een eventuele aanschaf. Wilt u niet direct de weg op met zo'n gevaarte achter uw auto? Op veel campings staan compleet ingerichte caravans voor u klaar. Het plezier van het inrichten en het genoegen om ver van huis tussen je vertrouwde spullen te bivakkeren moet u bij uw eindoordeel dan nog wel incalculeren. De persoonlijke finishing touch maakt van een rijdend huis pas echt een thuis.

Welke caravan voor u uiteindelijk het meest geschikt is, hangt af van uw persoonlijke wensen en uw manier van vakantie vieren. De aanschafprijzen variëren van enkele honderden (tweedehands) tot tienduizenden euro's. Voor een overdekte en verzekerde stalling betaalt u rond de dertig euro per strekkende meter per jaar. De prijzen voor staanplaatsen op campings verschillen nogal per land. Wilt u voordelig kamperen, informeer dan vooraf naar de prijzen.

Georganiseerde caravan/camperreizen

Ontdekt u graag samen met anderen nieuwe oorden en het liefst onder begeleiding? De ANWB organiseert al bijna dertig jaar compleet verzorgde kampeerreizen met toeristische en technische ondersteuning, interessante reisprogramma's en gereserveerde campingplaatsen. De bestemmingen waar men met eigen caravan of camper naartoe kan, variëren van IJsland tot Marokko. Er zijn ook bestemmingen waar men ter plekke een camper huurt, zoals Canada.

Ook ACSI (uitspraak: actie) is een vertrouwd adres voor georganiseerde Caravan en Camper Rally's. Laat u niet afschrikken door het woord 'Rally's' want de reizen zijn zeer verzorgd en de deelnemers zijn voornamelijk senioren. ACSI kent verschillende Rally's onder de namen Klassiek, Light, Sportief, Overwinteren en Special. 'Mooie routes, goede campings, veel vrije tijd en de gezelligheid van een groepsreis', vermeldt de website. Captainsechtparen begeleiden de reizen en treden op als gids tijdens excursies. De bekende ACSI kampeergidsen kennen inmiddels hun eenenveertigste editie.

'Ga eerst eens met vakantie. Laat los wat eens was en richt je op morgen.'

Avontuurlijke senioren die niet tegen een flink aantal kilometers opzien, kunnen onder andere terecht bij Kangaroo Travelling. Een poolcirkelreis van tienduizend kilometer heen en terug? Naar Namibië, Syrië, Egypte of China? Al het nodige wordt voor u geregeld tijdens de bijzondere en vaak indrukwekkende reizen over nog niet-platgetreden paden. Voorbereidingen, visa, route, veerboten, excursies, beveiliging, maaltijden, buitenlandse bewegwijzering en vragen op medisch gebied vormen dankzij de ervaren begeleiders geen onoverkomelijke obstakels. Rijden doet u zelf met eigen caravan of camper.

Veilig op weg

Leuk en aardig zo'n caravan, maar misschien ziet u zich al op een buitenlandse camping met klamme handen via een steil, smal paadje achteruit naar uw plek manoeuvreren. Niet zo'n gekke gedachte, en zo zijn er nog wel meer verrassingen die u met uw nieuwe aanwinst moet zien te overwinnen. Wie veilig en met een gerust hart op weg wil, kan bij het ANWB Test- en Trainingscentrum een workshop of trainingsdag volgen om alle besturingskneepjes onder de knie te krijgen. Ook een instructierit op de openbare weg is mogelijk. Bij alle cursussen doorloopt u een theorie- en een praktijkgedeelte. De prijzen variëren van honderd tot tweehonderd euro. Niet-leden zijn iets duurder uit. Met vragen over techniek, accessoires, prijzen, hellingspercentages, verzekeringen en de benodigde papieren kunt u onder andere terecht bij de ANWB Caravan

Advieslijn. Schaft u een tweedehands caravan aan, laat deze dan keuren voordat u ermee op pad gaat. Met een onveilige caravan bent u een gevaar op de weg. Ook eventuele gebreken aan elektriciteit en de gasvoorziening komen daarbij aan het licht.

Seniorenvakanties, voor wie?

Naast wandelen, fietsen en kamperen zijn er uiteraard nog heel veel andere manieren om eropuit te gaan. Autovakanties, touringcarreizen, vliegvakanties en bootreizen worden ons van alle kanten kleurrijk en vaak tegen scherpe prijzen aangeboden. Tussen al deze aanbiedingen vindt u tegenwoordig ook steeds meer seniorenreizen. Soms zijn dit echte 'ouderenreizen'. Bij veel Rijnreisjes en touringcarvakanties is dit het geval. In andere aanbiedingen wordt de term 'senioren' soms alleen maar toegevoegd omdat 50-plussers een belangrijke doelgroep vormen.

Informeer daarom bij de aanbieder van uw vakantie goed naar de strekking van deze toevoeging. Reist u met een groep, vraag dan naar de gemiddelde leeftijd en de interesses van de deelnemers. Schenk uitgebreid aandacht aan het reisprogramma. Spreken de activiteiten u aan of past een andere reis beter bij uw conditie en leeftijd? Iemand van twintig reist niet graag met alleen maar reisgenoten van rond de veertig. Het leeftijdsverschil tussen zestig en tachtig jaar is net zo groot. Heeft u behoefte aan een bepaalde vorm van begeleiding of voorzieningen, bespreek dit dan duidelijk met de reisorganisatie zodat u ter plekke niet voor verrassingen komt te staan.

'Heerlijk, om 's ochtends zo rustig aan te kunnen doen.'

Al wat ouder

De stichting SeniorVakantiePlan organiseert met behulp van een groot aantal vrijwilligers vakantiereizen voor ouderen die nog zelfstandig zijn, maar vanwege hun leeftijd bepaalde beperkingen ondervinden. Tijdens de reizen is er altijd een begeleid(st)er met verpleegkundige bevoegdheid aanwezig. De excursies, accommodaties en bereikbaarheid worden van tevoren grondig getoetst op geschiktheid voor de deelnemers. Ook aan eventuele dieetvoorschriften wordt gedacht. Het tempo van de reis is aangepast en de uitstapjes ter plekke zijn vrijblijvend. De bestemmingen liggen binnen Europa.

Overwinteren

Heerlijk breng je twee weken door aan de Spaanse kust en dan is het weer inpakken en wegwezen. De vakantie is voorbij en je moet weer aan het werk. Als vutter of gepensioneerde ken je dit probleem niet en er nog een weekje aan vastplakken is zo geregeld. In het naseizoen zijn de kosten een stuk lager, dus het jaar daarop boek je voor de hele maand oktober. Je gaat je steeds meer thuis voelen en voor je het weet behoor je tot het leger 'pensionados'. De wintermaanden breng je voortaan door in warmer oorden. Afgezien van het gemis van familie en vrienden ontbreekt het de overwinteraars aan weinig. Het weer is meestal goed, een praatje maken in de moedertaal kan overal en je vindt overal Nederlandse winkels, Nederlandse clubs, Nederlandse artiesten en Nederlandse kranten. Op veel plaatsen is ook een Nederlandse medische staf aanwezig.

De voordeligste manier om te overwinteren is in een caravan. Op de echte wintercampings zijn daardoor in de loop der jaren complete Nederlandse 'straten' ontstaan. Senioren van zestig tot tachtig installeren zich vaak jaren achtereen steeds weer op dezelfde camping tussen bekenden en vrienden. Door het mooie weer zit iedereen buiten aan de koffie of aan de maaltijd en er is veel gelegenheid voor een praatje en gezelligheid. Dit in tegenstelling tot het sociale leven tijdens de donkere maanden in Nederland.

'We hebben drie maanden nodig gehad om bij te komen
en om te wennen aan een rustiger tempo.'

In de wintermaanden een behoorlijk appartement huren kan vanaf circa zeshonderd euro per maand. Een onderkomen met centrale verwarming is bijna overal aan te raden. Ook in het zuiden van Spanje zijn de temperaturen niet altijd even voorspelbaar en in de winter is het ook daar vroeg donker. De temperatuur daalt dan snel. Een appartement in de meest toeristische gedeelten aan de stranden is in de wintermaanden niet aan te bevelen. De diverse gesloten deuren van winkels en restaurantjes bieden een troosteloze aanblik. Rond het centrum is in de winter meer gezelligheid te beleven. Wie liever wat meer op zichzelf is en niet graag al te veel Nederlanders ziet in de vakantie, doet er goed aan om bestemmingen als Lloret en de Costa Brava te mijden. Zuid-Europa biedt tal van oorden waar je nog in alle rust kunt genieten en waar de plaatselijke gewoonten, gerechten en cultuur nog niet worden overstemd door de toeristenindustrie. Langzaam maar zeker raken ook verdere bestemmingen om te overwinteren in trek, zoals Bali, Sri Lanka, Australië, Zuid-Afrika, Thailand en Maleisië.

Wijs op reis

Vroeger reisden 'gewone' mensen hooguit naar het Drielandenpunt of de Veluwse bossen. Tegenwoordig ben je als je een vakantie boekt naar verre oorden bepaald geen uitzondering meer. Veel landen zijn daar inmiddels ook op ingesteld en vooral in de grotere steden zijn bijna overal moderne producten en middelen voorhanden. Toch blijft een goede voorbereiding en bekendheid met de plaatselijke (gezondheids)risico's in veel gevallen van belang. Het Ministerie van Buitenlandse Zaken verstrekt de folder 'Wijs op reis' met nuttige tips en een vakantiechecklist. De folder kunt u telefonisch aanvragen of downloaden via de website. Op deze site vindt u ook veel andere interessante informatie. Over praktisch elk land ter wereld zijn feiten, cijfers en reisadviezen beschikbaar.

'Als je kunt stoppen ga dan genieten van al die dingen waar je eerst te weinig tijd voor had.'

Nuttige informatie over mogelijke gezondheidsrisico's en vaccinaties vindt u ook op de website www.gezondopreis.nl. Na het intypen van uw postcode informeert de site u ook over de adressen van GGD, Travel Clinic of Tropencentrum bij u in de buurt.

Wie voor langere tijd van huis gaat, doet er goed aan om van tevoren na te gaan of de reisverzekering een maximale reistijd vermeldt. Zo niet dan biedt een 'lang-weg-verzekering' uitkomst bij calamiteiten.

Huis en haard

Wie stopt met werken is vanaf dat moment in de regel een groot aantal uren meer thuis. Een goede reden om de doelmatigheid van de woning eens goed onder de loep te nemen. De plek waar men koffie drinkt, eet, slaapt en televisie kijkt, zijn normaal gesproken wel geregeld, maar hoe zit het als u wat nieuws wilt ondernemen of meer tijd denkt te besteden aan uw hobby('s)? Is er een uitnodigende plek waar u met plezier aan de slag kunt zonder dat uw computer, muziekinstrument, tekenspullen of gereedschap als storende elementen in de weg staan of liggen? Wanneer dit niet het geval is, wordt het hoog tijd om een dergelijke plek alsnog te creëren.

Een huis is geen showroom, maar een plek om in te leven. Woon je samen met een partner, dan zullen er uiteraard wel de nodige grenzen zijn aan het inlevingsvermogen van de wederhelft. Bedenk samen hoe de inrichting kan worden aangepast en creëer daarbij zo mogelijk voor beiden een stukje eigen domein. Doet u dit niet, dan is de kans groot dat u thuis niet veel verder komt dan wat u al deed: koffie drinken, eten, slapen en televisie kijken. Op de vraag aan de geïnterviewden of de huidige woning ook na het afscheid nog voldoende mogelijkheden bood, gaf 83 procent aan zeer tevreden te zijn met de thuishaven. De woonsituatie van de geïnterviewden varieert van een tweekamerflat tot een grote villa aan de rand van het bos. Enkelen van hen waren, nadat zij gestopt waren met werken, naar een passender woning verhuisd.

Veranderde woonwensen

Om de doorstroming te bevorderen en ruimte te creëren voor jonge gezinnen werden mensen in vroeger tijden aangespoord om in een bejaardencentrum te gaan wonen. Echtparen waarvan de kinderen uit huis waren, maakten toch geen gebruik meer van de onverwarmde slaapkamers en daarbij hadden ze na hun 65ste niet zo heel veel jaren meer voor de boeg. Inmiddels is er nogal wat veranderd. Bejaardencentra heten tegenwoordig woonzorgcentra en daar woon je alleen als je een groot aantal uren zorg nodig hebt. De gemiddelde leeftijd van de bewoners is soms wel 85. Om toch de broodnodige doorstroming op gang te houden werd de seniorenwoning ontwikkeld. Geen trappen, weinig woonruimte en een kleine of geen tuin waren typerend voor dit soort woningen. Prettig voor de echt ouderen, maar minder geschikt voor de huidige, vaak nog zeer vitale senioren. De oude dag wordt hoe langer hoe meer uitgesteld en daarmee ook het aangepaste wonen. Zelfstandigheid, comfort en voldoende ruimte zijn privileges die men niet al te vroeg wil opgeven. Daarbij wordt tegenwoordig het bezit van een tuin door veel senioren juist op prijs gesteld.

Naar verwachting zal in 2030 een kwart van de Nederlandse bevolking uit 65-plussers bestaan. Op alle fronten wordt dan ook gewerkt aan een beleid waarin woningen en voorzieningen in de omgeving voldoen aan de wensen van senioren. Door eventuele aanpassingen in bestaande woningen en verzorging op maat aan huis kan men zolang mogelijk zelfstandig blijven wonen.

Weinig verhuisplannen

Volgens een onderzoek van het ministerie van VROM wil slechts twaalf procent van de mensen van 55 jaar en ouder binnen twee jaar verhuizen. Senioren zijn honkvast en moeten wel een erg duidelijke reden hebben om te verkassen. De surfende bezoekers van Seniorweb lijken gemiddeld wat minder tevreden of wat voortvarender. Een peiling met de vraag of men nog naar een andere woning zou willen verhuizen leverde bij een tussenstand van bijna 1200 reacties de volgende antwoorden op:

19,78%: ja, als ik een mooiere woning zou krijgen
10,10%: ja, de buurt is niet meer wat ze geweest is
19,28%: ja, vanwege mijn gezondheid
38,05%: nee, mijn huis bevalt me prima
12,79%: anders

Bij deze cijfers moet u wel bedenken dat 'een ander huis wensen' iets heel anders is dan het maken van concrete verhuisplannen.

Veiligheid in huis

Waar denkt u het eerst aan bij deze aanhef? Aan brand, aan diefstal of aan een losliggend snoer? Het laatste onderwerp verdient de grootste aandacht, want jaarlijks overlijden rond de 1700 55-plussers door een val in en om de woning! Dat is ruim viermaal zoveel als het aantal verkeersdoden in deze leeftijdsgroep. Het toenemende risico om te vallen sluipt er langzaam in. Evenwicht, reactievermogen, spierkracht en zicht nemen geleidelijk af. Ook de souplesse van spieren en gewrichten wordt minder. Medicijngebruik en bepaalde aandoeningen verhogen de kans om te vallen. In de loop der jaren tillen we bovendien onze voeten steeds minder hoog op, waardoor we eerder struikelen. Zoveel mogelijk in beweging blijven draagt bij aan een sterker, leniger en weerbaarder gestel, maar daarnaast kunnen we ook met de nodige maatregelen in huis de risico's aanzienlijk verkleinen.

Knelpunten

De volgende zaken verdienen uw serieuze aandacht:
- gladde vloeren, traptreden en opstapjes
- losliggende snoeren en kabels
- hobbels in de vloerbedekking
- opkrullende tapijten
- wegglijdende kleedjes
- deurknoppen waarachter je blijft haken
- slechte binnen- en buitenverlichting
- rondslingerende obstakels op trap en vloeren
- gebruiksvoorwerpen op onmogelijke plaatsen
- een wankele huishoudtrap zonder steun
- het ontbreken van leuningen en/of handgrepen
- ongelijke stoeptegels
- gladde stoep en tuinpaadjes

Loop (samen) eens met de ogen van een strenge veiligheidscontroleur door uw huis. Neem waar nodig maatregelen, zodat u zich achteraf niets hoeft te verwijten als er toch wat fout gaat.

Brandpreventie

De meeste branden ontstaan doordat men vergeet dat er iets op het vuur staat. Wordt het filter in de afzuigkap niet tijdig gewisseld of gereinigd, dan vormt het verzamelde vet boven het kooktoestel een goede brandhaard. Een tweede veelvoorkomende oorzaak van brand is kortsluiting en oververhitting van apparatuur. Het stand-by laten staan van de wasmachine, de magnetron en andere apparaten kost niet alleen extra energie en geld, maar laat ook de brandweer met grote regelmaat uitrukken. Installeer op iedere verdieping een rookmelder en laat de cv-installatie en zonodig ook andere apparaten tijdig controleren.

Heeft u een open haard of allesbrander in gebruik, laat dan ook regelmatig de schoorsteen vegen. Voor uitgebreide preventietips in en om de woning kunt u terecht bij de afdeling preventie van uw gemeente.

Houd inbrekers buiten

Met het Politiekeurmerk Veilig Wonen® bent u ook goed beveiligd tegen inbraak. Door uw woning aan te (laten) passen aan de eisen van dit keurmerk houdt u ongewenste bezoekers in de meeste gevallen buiten de deur. Degelijk hang- en sluitwerk op ramen en deuren, buitenverlichting, goede sloten en andere voorzieningen verkleinen de kans op een inbraak aanzienlijk. Voor informatie over het keurmerk en de bijbehorende preventieve maatregelen kunt u terecht bij de politie of bij een van de bij het PKVW aangesloten bedrijven. Het blijft natuurlijk wel opletten. Als u 's avonds vergeet uw deuren af te sluiten zijn alle voorzorgsmaatregelen voor niets. Gaat u de deur uit, sluit dan standaard deuren en ramen, ook op de eerste en tweede verdieping. Leg geen sleutels op het randje boven de deur, onder de deurmat of onder een omgekeerde bloempot. De achterdeur open laten terwijl u uren op zolder achter de computer zit, is ook niet verstandig.

Volgens het CBS vindt 44 procent van de inbraken plaats terwijl er iemand thuis is. Bij voorkeur slaat de inbreker zijn slag als de bewoners weg zijn, en vooral in de donkere maanden tussen zeven en elf uur 's avonds is dit het geval. Het idee dat er in de vakantieperiode meer wordt ingebroken berust op een misverstand. In de zomermaanden blijft het te lang licht, zijn er te veel mensen op straat en slaapt men door de warmte vaak lichter.

Is uw huis tijdelijk onbewoond omdat u op vakantie bent, dan zijn de nodige voorzorgsmaatregelen echter wel zo verstandig. De politie verstrekt een speciale vakantiefolder met zo'n veertig nuttige tips. Aan de buren vragen hun tweede auto op uw oprit te parkeren is een van deze tips, en zo zijn er nog andere manieren om het dievengilde om de tuin te leiden.

Wonen kost geld

Veel senioren zitten er behoorlijk warmpjes bij. Het pensioen is goed geregeld, de kinderen zijn inmiddels zelfstandig en bij een eigen woning is de hypotheek vaak al voor een groot deel afgelost. Deze rooskleurige situatie geldt echter niet voor iedereen. Wie bijvoorbeeld alleen een AOW-uitkering ontvangt, moet over iedere uitgave drie keer nadenken. Bezitters van een eigen woning zijn in een dergelijke situatie op papier veel rijker dan in de praktijk. Al is de woning inmiddels nog zo in waarde gestegen, zolang deze in eigen bezit blijft komt de waarde niet vrij. Daarbij komt men door het bezit van een eigen woning vaak niet in aanmerking voor aanvullende voorzieningen.

Als u er niet aan moet denken om te verhuizen, maar ook niet de rest van uw leven ieder dubbeltje om wilt blijven draaien, dan zijn er verschillende mogelijkheden om de waarde van uw huis te benutten. Een voorwaarde hiervoor is wel dat een groot deel van de hypotheek al is afgelost.

Aanpassen hypotheek

Ligt de waarde van uw woning aanzienlijk hoger dan de hypotheekschuld die er nog op rust, dan kunt u overwegen om deze overwaarde te benutten voor bijvoorbeeld een verbouwing, een auto of andere bestedingsdoeleinden. Om erachter te komen of dit in uw situatie lonend is, kunt u altijd vrijblijvend een afspraak maken met uw bank. Uw inkomen, de huidige waarde van uw woning, de hypotheek die nog op het huis rust en eventuele andere lopende leningen bepalen het bedrag dat u kunt lenen. In een offerte wordt vermeld welk bedrag u daarna per maand gaat betalen. Wanneer gekozen wordt voor een aflossingsvrije hypotheek, dan betaalt u geen aflossing, maar alleen rente over de lening. Deze rente is alleen nog maar aftrekbaar bij de aanschaf van een hoofdwoning of bij een verbouwing of verbetering van een hoofdwoning.

Verkopen zonder te verhuizen

Het huis verkopen, een bedrag uitgekeerd krijgen en de rest van uw leven gegarandeerd in uw eigen huis blijven wonen, zonder huur te betalen en zonder onderhoudskosten? Torenstad Verzilverd Wonen biedt deze mogelijkheid in samenwerking met diverse woningcorporaties in een groot deel van Nederland. De website van Torenstad geeft in januari 2007 het volgende voorbeeld:

Een echtpaar (beiden zeventig) bezit een woning met een vrije verkoopwaarde van € 225.000. Ze verkopen hun huis aan de woningcorporatie en het echtpaar ontvangt een koopsom van € 106.200. Daarbij krijgen ze de garantie van levenslang woonrecht, totdat beide partners zijn overleden. De woningcorporatie zorgt net als bij een huurhuis voor het onderhoud. Indien de koopsom niet in één keer, maar bijvoorbeeld in jaarlijkse termijnen van € 9.551,86 wordt uitgekeerd, dan ontvangt het echtpaar in totaal € 117.450 Bij eerder overlijden van beide partners wordt het restant uitgekeerd aan de nabestaanden.

De uitgekeerde koopsom is afhankelijk van de leeftijd en van de vrije verkoopwaarde. Achterstallig onderhoud en een nog bestaande hypotheekschuld worden in mindering gebracht. Besluit men nadat het contract is afgesloten toch om te verhuizen, dan is het woonrecht niet op een ander overdraagbaar. De ontvangen koopsom hoeft u uiteraard niet terug te betalen.

Verkopen en terughuren

Wanneer u verwacht in de toekomst te verhuizen, dan kan het huis worden verzilverd op flexibele basis. Het genoemde echtpaar krijgt dan een koopsom van € 180.000 uitgekeerd, maar betaalt voortaan wel huur voor de woning. Verkopen en terughuren kan bij Torenstad Verzilverd Wonen en bij Amvest HomeFree.

Einde erfenis

In alle genoemde voorbeelden valt er voor uw erfgenamen weinig meer te halen. Alleen bij de keuze voor een uitbetaling van een koopsom in termijnen kan er na een vroegtijdig overlijden een bedrag worden uitgekeerd aan de nabestaanden. Of dit een reden voor u is om jarenlang zuinig aan te doen moet u voor uzelf uitmaken.

Verhuizen met het oog op later?

Naarmate we ouder worden neemt de kans dat we iets gaan mankeren toe. Het huis waarin u nu met veel plezier woont, kan daardoor de nodige obstakels gaan opleveren. Stel dat u de trap niet meer op kunt en dat er beneden geen slaapgelegenheid is? Wat als u niet meer zelfstandig in bad kunt stappen? Op een sombere dag zijn er vast nog wel meer dingen te verzinnen en daardoor komt u misschien tot de conclusie dat u maar beter kunt verhuizen. Zeker nu het nog kan. Bij voorbaat op zoek gaan naar een ander huis terwijl u nog naar uw zin woont, is in veel gevallen overbodig. De meeste woningen kunnen tegenwoordig worden aangepast met bijvoorbeeld een traplift, een verhoogd toilet, een instapbad of een oprit naar de voordeur. Het (laten) aanpassen van de woning aan uw mogelijkheden vraagt in de meeste gevallen minder geld en energie dan een beslissing om te verhuizen.

Vrij om te gaan

Veel mensen zijn door hun werk gebonden aan een bepaalde woonplaats. Na het afscheid is dit niet meer van toepassing en vanaf dat moment kun je je afvragen of je niet liever ergens anders woont. Heeft u een eigen huis, dan bent u vrij om uw woning te verkopen en u elders te vestigen. Wilt u een woning huren, dan kon u zich tot voor kort vanaf uw 65ste inschrijven waar u maar wilde. Door de grote toeloop naar bepaalde streken is dit niet meer in alle gemeenten mogelijk, maar in de meeste plaatsen nog wel. Wonen op het platteland, in een bosrijke omgeving, bij een grote rivier of misschien dichter bij uw kinderen en kleinkinderen: met wat geluk en doorzettingsvermogen ligt het allemaal binnen uw bereik.

Neem de tijd

Een goede voorbereiding is belangrijk. Ga op vakantie in de streek die u aanstaat en doe dit zo mogelijk niet alleen bij stralend zomerweer. Doe boodschappen bij de plaatselijke winkeliers, wandel door de straten en verken de omgeving. Verzamel gemeentegidsen van de plaatsen die u interessant vindt. Daarin vindt u de nodige voorzieningen in de omgeving. Informeer naar het openbaar vervoer, ook als u nog zelf autorijdt. Dat kan veranderen in de loop der jaren. Praat ook eens met andere 'landverhuizers' over hun ervaringen. Wat laat men achter, wat wordt er gemist en wat komt daarvoor in de plaats. Echte vriendschappen overleven elke reisafstand. De overige contacten verwateren meestal in de loop der jaren, maar daar komen weer nieuwe gezichten voor in de plaats.

Vraagt u zich af of u wel kunt aarden in een nieuwe streek, bedenk dan dat alle gemeenten in Nederland tegenwoordig moderne voorzieningen kennen, dat u de winkels waaraan u gewend bent ook overal terugvindt en dat in iedere plaats steeds meer mensen wonen die ook weer uit andere plaatsen komen.

De computer en ander technisch vernuft

Surf naar www.jekunthetzogeknietbedenken.nl voor actuele informatie en onze najaarsaanbiedingen! Geen reclameblok lijkt tegenwoordig voorbij te gaan zonder dat we worden aangespoord een bezoek te brengen aan het world wide web (www). Ook advertenties in kranten en tijdschriften verwijzen steeds vaker naar een webadres. Wie thuis niet beschikt over een computer met internet, krijgt al gauw het gevoel dat een stukje van de maatschappij zich in een andere wereld afspeelt. Als je dan ook nog eens als 50-plusser twee mensen van rond de zeventig enthousiast hoort praten over e-mail, digitale fotobestanden, dvd's en hun navigatiesysteem...

De techniek staat niet stil en ieder jaar weer kondigt zich een aantal nieuwe hightech-snufjes aan. De eerste kopers moeten hiervoor vaak grof geld neertellen maar als het schaap eenmaal over de dam is, dalen de prijzen in een aantal jaren vaak tot minder dan de helft. De eerste computers waren onbetaalbaar en werkten voor onze huidige begrippen tergend langzaam. Ook was de gebruiksvriendelijkheid een stuk minder. Inmiddels is de computer een algemeen verschijnsel. Veel huiskamers kennen een speciaal computerhoekje en van jong tot oud zetten we ons regelmatig achter het beeldscherm. Voor wie nog geen computer heeft, gaat de overweging om er een aan te schaffen vaak gepaard met de nodige vragen en twijfels. Lukt het me straks wel om al die technieken onder de knie te krijgen, ik kan niet eens typen! Wat zijn de aanschafkosten van een computer en waar moet ik op letten? Wat kun je er allemaal mee en wat heb ik eraan? Om te beginnen volgt hier een antwoord op de laatste vraag. Daarvoor kijken we even mee met een gefantaseerde Joop, op maandagavond rond negen uur, druk doende achter zijn PC.

De praktijk

Joop maakt verbinding met internet (door simpel op een plaatje te klikken) en surft naar www.ns.nl, de website van de Spoorwegen. Morgen gaat hij per trein van Groningen naar Wezep. Om gegevens over de reis op te vragen moet hij enkele vakjes invullen (net als bij een formulier). Hij vult de betreffende plaatsnamen in bij 'van' en 'naar', en de gewenste aankomsttijd. Binnen enkele seconden verschijnen de tijden, de perronnummers en de kosten. Na een klik op de knop 'print' rolt een keurige pagina uit de printer met alle nodige informatie.

Vervolgens surft Joop naar www.marktplaats.nl. Op dit webadres staan gemiddeld zo'n 4 miljoen advertenties met tweedehands goederen door heel Nederland. Joop typt het woord 'hometrainer' in een zoekvakje en 1376 advertenties worden gemeld. Dat is hem wat te veel. Hij herhaalt de zoekactie, maar nu met het woord Groningen erbij. Nu worden maar negentien advertenties weergegeven. De keuze valt op een exemplaar van € 45. De bijbehorende foto toont een keurige 'binnenfiets'. Het telefoonnummer staat erbij, maar Joop stuurt liever een berichtje per e-mail.

'Het nut van werken moet je niet overschatten, er is meer dat de moeite waard is.'

Het e-mailprogramma opent zich na een klik met de muis en Joop ziet dat er post is binnengekomen. Zijn zus uit Canada stuurt hem een vrolijk berichtje, samen met een foto van haar kleinzoon van drie. Joop is vorig jaar samen met zijn vrouw Dinie bij haar langs geweest tijdens een geweldige rondreis met een camper. Hij schrijft een berichtje terug en klikt op de knop verzend. De foto van het mannetje print hij uit voor Dinie. Ook stuurt hij een berichtje naar de aanbieder van de hometrainer. Even mijmert hij nog wat na over het bezoek aan zijn zus. Om deze vakantie te regelen heeft hij vorig jaar aardig wat uurtjes achter de PC doorgebracht. De vluchten, het hotel bij aankomst, de huur van de camper en de reisverzekering heeft hij allemaal via internet geboekt. Aan de hand van allerhande informatie over steden en bezienswaardigheden heeft hij samen met Dinie het reisschema vastgesteld. Ook vond Joop de nodige tips voor onderweg.

Terug naar het internet, nu voor een bezoek aan de website van Wehkamp. Snel vindt Joop wat hij zoekt: een nieuw dekbed voor de logeerkamer. Het blijkt op voorraad en de zending mag retour als er iets niet aan bevalt. Vooruit betalen hoeft niet, de rekening volgt met het bestelde artikel en het dekbed wordt waarschijnlijk de volgende dag al bezorgd. Als Joop vooruit had moeten betalen via internet had hij daar bij dit bedrijf geen bezwaar tegen gehad, maar bij firma's die hij niet zo goed kent betaalt hij liever niet vooraf. Meestal gaat dat goed, maar zo niet dan ben je wel je geld kwijt. Onder rembours betalen aan de postbode is dan een betere optie.

De telefoon gaat en zijn studerende dochter Eva valt met de deur in huis: 'Kan ik voor een paar dagen € 50 lenen?' Joop surft ondertussen naar de website van zijn bank. 'Het komt eraan, armoedzaaier, binnen enkele minuten kun je weer gaan shoppen', antwoordt hij lachend. Terwijl hij nog even met haar verder babbelt voert hij de nodige gegevens in en bevestigt zijn opdracht. 'Het staat op je rekening, tot gauw meid en de groetjes daar!'

Naast de PC ligt de digitale camera van Dinie. Joop haalt het geheugenkaartje eruit en stopt dit in een kaartlezertje dat verbonden is met de computer. Als de fotobestanden door zijn computer zijn 'binnengehaald' surft hij naar de website van de HEMA en klikt op een plaatje met het woord 'Fotoservice'. De rest wijst zich vanzelf. Het aantal foto's en het formaat worden door Joop opgegeven en ook het filiaal waar hij de foto's op wil halen. Per post thuis laten bezorgen kan ook, maar ophalen is voordeliger en Joop moet eind van de week toch nog de stad in. Vervolgens stuurt Joop de fotobestanden via internet naar de HEMA. Deze worden daar weer via een computer op fotopapier afgedrukt.

Joop heeft al deze taken op zijn gemak uitgevoerd, maar toch is alles binnen een uurtje geregeld. Hij twijfelt tot slot nog even of hij het schaakprogramma zal opstarten. Een ander keertje maar, besluit hij. De reisplanner gaf als vertrektijd uit Groningen duidelijk 8.17 uur aan. Dat wordt dus morgen voor zevenen op.

'Ik wist in het begin niet eens de aan- en uitknop te vinden.
Nu maak ik met gemak de leukste ansichtkaarten.'

Een cursus

Voor digitale buitenstaanders lijkt Joop een bijzonder bijdehand iemand. Wie niet gewend is om een computer te bedienen en met hem meekijkt, ziet de beelden voorbijflitsen terwijl er op van alles en nog wat wordt geklikt. Een schuchtere vraag om uitleg levert direct een stroom van onbegrijpelijke termen op. Niet echt bemoedigend wanneer je je vertwijfeld afvraagt of je dit alles nog wel kunt aanleren. Laat u door een dergelijke gedachte niet al te snel uit het veld slaan. Kunt u lezen, schrijven en zelfstandig de wasmachine, de televisie en de magnetron bedienen? Fijn, dan is er hoogstwaarschijnlijk geen enkele reden waarom u niet kunt leren omgaan met een computer.

Heeft u totaal geen computerervaring en wilt u in een niet al te hoog tempo van start, dan is een beginnerscursus voor senioren een aanrader. Op veel plaatsen bestaan wel wachtlijsten, dus soms moet u enige weken of maanden geduld hebben voor u aan de slag kunt. De kosten van een basiscursus van acht lessen liggen rond de € 45. U hoeft absoluut niets van computers te weten en het bezit van een eigen computer is ook niet direct nodig. Op de meeste plaatsen bestaat de gelegenheid buiten de lesuren onder begeleiding op de computer te oefenen. Bijna alle cursisten zijn zo enthousiast dat ze na de basiscursus verder gaan met de internetcursus. Ook de vervolgcursus fotobewerking is erg populair. Het volgen van een cursus in groepsverband heeft ook zo zijn voordelen. Mocht u last hebben van wat drempelvrees, dan kunt u daar tot uw vreugde ontdekken dat u niet de enige bent. Het is ook praktisch om ter plekke wat lotgenoten te leren kennen met wie u na de cursus nog de nodige computerbelevenissen kunt uitwisselen. De sfeer is meestal heel ontspannen en gezellig, maar dat wil niet zeggen dat er niet gewerkt wordt. Vrouwen die twijfelen aan hun talenten kunnen gerust zijn. Zij pakken de lesstof over het algemeen wat sneller op dan hun mannelijke medecursisten.

Zonder cursus met boek kan ook

Ziet u zo'n gezamenlijke cursus niet zitten, dan kunt u overwegen om uzelf het een en ander aan te leren. In de winkel of in de bibliotheek zijn legio praktische boeken voorhanden. De serie van Visual Steps geschreven door Addo Stuur is bijzonder populair onder senioren. Deze boeken geven letterlijk stap voor stap uitleg, met daarbij steeds de afbeelding van wat er na een uitgevoerde handeling in beeld verschijnt.

De meest gebruikte toepassingen

Uitleg over alle mogelijkheden van de computer zou weinig ruimte overlaten voor de andere hoofdstukken. In het kort daarom een omschrijving van enkele veel gebruikte toepassingen. Het basisgebruik hiervan is normaal gesproken binnen een halfjaar wel te overzien. Mocht u daarna tot de echte fanaten gaan behoren, dan is er een groot aantal geavanceerde programma's waarmee u zich helemaal uit kunt leven. In alle gevallen blijft het ontdekken en leren, doordat er steeds weer nieuwe mogelijkheden worden aangeboden. Het grote voordeel daarbij is dat de programma's in de loop der jaren steeds gebruiksvriendelijker worden.

Tekstverwerken

Alles wat men vroeger op een typemachine deed is mogelijk, maar nu met het gemak van een aantal handige voorzieningen. Maakt u een spelfout? De computer geeft dit aan en komt met een alternatief. Zinnen verwijderen, markeren, kopiëren, verplaatsen: het kan allemaal. Een mooi lettertype uitzoeken en de grootte en kleur van de letters instellen is ook vrij simpel. Wat u geschreven heeft, kunt u in de computer opslaan en later hergebruiken of per e-mail naar anderen versturen. Teksten of brieven kunt u ook uitprinten op papier.

E-mail

Brieven, foto's en zelfs filmpjes en stukjes muziek kunt u snel en simpel naar anderen versturen. Uiteraard kunt u zelf ook berichten ontvangen. Een berichtje naar China is niet ingewikkelder dan naar een lokale bestemming. Net zoals bij de gewone post heeft iedereen zijn eigen postadres, bijvoorbeeld info@hoezogeraniums.nl. In elk adres hoort een '@' (het apenstaartje). Het gebruik van e-mail hoort bij het internetabonnement, dus voor het verzenden van e-mailberichten worden geen aparte kosten in rekening gebracht.

Internet

Op elk gewenst tijdstip kunt u informatie vinden over de meest uiteenlopende onderwerpen uit de hele wereld. Na het intypen van het juiste internetadres of na het opgeven van een zoekwoord verschijnt automatisch wat u zoekt. Reizen, aankopen, weerberichten, restaurants, nieuws, medische informatie, huizen, contacten: de mogelijkheden lijken onbegrensd en er gaat letterlijk een wereld voor je open. Ook bestaat de mogelijkheid om 'heen en weer typend' te communiceren. Dit kan ook met meer personen tegelijk in bijvoorbeeld een discussiegroep. De tekstregels verschijnen onder elkaar en voor iedere regel staat steeds de naam van de schrijver. De termen chatten en MSNen horen bij deze mogelijkheid. Met een webcam (internetcamera) kunnen beelden worden overgezonden. In bijvoorbeeld alle grote steden in de wereld staan deze webcams, zodat je vanuit je huiskamer kunt zien of de lampjes van de Eiffeltoren al aan zijn. Een webcam kun je ook boven je beeldscherm plaatsen, zodat de ander je kan zien terwijl je met elkaar communiceert.

Gratis telefoneren via internet

Wanneer u beschikt over een internetverbinding, dan kunt u met behulp van een microfoontje en het programma 'Skype' wereldwijd gratis bellen, zolang u maar wilt. Het programma kan gratis worden gedownload (binnengehaald). Degene die u belt, moet dan wel ook Skype op zijn computer hebben geïnstalleerd. De geluidskwaliteit is wel vaak wat minder maar na wat geëxperimenteer met het geluidsniveau van de boxen en de afstand van de microfoon lukt het meestal aardig. Ergens in de voorkeuren kunt u ook het hinderlijke echo-effect elimineren. Er worden voor dit doel ook speciale microfoonsetjes verkocht met oordopjes of een koptelefoon. Het bellen gaat hiermee een stuk beter.

Telebankieren

Zaken als geld overmaken, sparen, beleggen en het saldo bekijken zijn via de websites van de verschillende banken snel en overzichtelijk te regelen. Geld op iemands rekening storten kan in veel gevallen à la minute. Daarbij krijgt u direct alle bij- en afschrijvingen en ook uw huidige saldo in beeld. Ook rekeningen met acceptgiro's die u via de post ontvangt, kunt u via internet betalen. Daarbij moeten wel de juiste cijfers worden overgenomen. Tijdens de internetcursussen voor senioren wordt uitgebreid aandacht besteed aan telebankieren.

Foto's bewerken, bewaren en uitprinten

Met een fotoprogramma kunt u foto's van formaat veranderen, gedeelten van foto's selecteren, kleuren aanpassen, beelden combineren en nog veel meer. Foto's uit een digitale camera kunnen direct worden ingeladen in de computer. Via e-mail kunnen de digitale foto's worden ontvangen of verzonden. Het uitprinten van foto's is eenvoudig, maar zelf uitprinten is wel duurder dus minder geschikt voor grote aantallen. Digitale fotobestanden kunt u ook bewaren op een cd-rom of dvd. In het laatste geval kunt u ze via een dvd-speler op de televisie bekijken.

Computerspellen

Kaarten, schaken, dammen, puzzelen, behendigheidsspelletjes, uitgebreide avonturenspelen met prachtige animaties, racen in een Formule-1-wagen: voor jong en oud er zijn meer spellen beschikbaar dan een mens in zijn hele leven kan spelen. Veel spellen zijn via internet binnen te halen, al dan niet gratis. Computerspellen zijn ook in de winkel te koop. Een simpel spel kost soms maar enkele euro's. De prijzen van zeer geavanceerde spellen kunnen oplopen tot circa tachtig euro.

Muziek

Op speciale muzieksites kan tegen betaling muziek worden binnengehaald, van klassiek tot de laatste hits. Handig als u van verschillende artiesten alleen uw favoriete nummers wilt kopen. De prijzen liggen gemiddeld rond één euro per nummer. De muziek kan vanuit de computer worden opgeslagen op cd, dvd , Mp3-speler zoals de iPod (hierover later meer) en sinds kort ook op een mobiele telefoon.

Video

Vanuit een digitale videocamera kunt u beelden in de computer laden en bewerken. Hiervoor heeft u een behoorlijk zware computer nodig en uiteraard een programma om films te bewerken. Voor de liefhebber zijn er diverse creatieve mogelijkheden, zoals het toevoegen van aparte overgangen, muziek, ondertiteling en gesproken commentaar. Ook kunnen foto's worden ingevoegd tussen de filmfragmenten.

Ontwerpen

Folders, ansichtkaarten, visitekaartjes, etiketten, cd-labels, kalenders, afbeeldingen voor op T-shirts en nog veel meer onderwerpen, lenen zich goed voor een persoonlijke ontwerp. Daarvoor zijn allerlei hulpprogramma-tjes te koop en her en der ook gratis te downloaden. De echte professionele ontwerpprogramma's zijn behoorlijk prijzig en vergen een flink aantal studie-uren. Voor de echte liefhebbers bieden deze programma's wel een ongekend aantal mogelijkheden.

De aanschaf

Computers worden geleverd als desktop of als laptop. De desktop staat op een vaste plek, in combinatie met een beeldscherm, een toetsenbord en een muis. Een complete set koopt u vanaf circa vijfhonderd euro. Het beeldscherm dat tegenwoordig wordt meegeleverd is plat en minimaal 15"(inch). Als u voor een wat groter beeldscherm kiest (bijvoorbeeld 17" of 21") dan bent u duurder uit, maar vaak werkt dit wel prettiger.

De laptop (ook vaak notebook genoemd) biedt alles in één. Door de geringe afmeting en het lage gewicht kunt u de laptop overal mee naartoe nemen. Voor een 'eenvoudige' laptop betaalt u circa zeshonderd euro. Ook hierbij geldt dat een uitvoering met een groter scherm duurder uitvalt.

Harde schijf, werkgeheugen en snelheid
In advertenties voor computers komt u allerlei aanduidingen tegen waaronder:

2,8 GHz (Gigahertz) processorsnelheid
160 GB (Gigabytes) harde schijf (opslagcapaciteit)
512 MB (Megabytes) werkgeheugen

De genoemde waarden zijn uit een advertentie voor een 'eenvoudige' computer van € 499. Hoe hoger de getallen, hoe duurder de computer en hoe groter de mogelijkheden, de werksnelheid of het beeldscherm.

Voor een computer van € 800 ziet het rijtje er als volgt uit:

3,00 GHz processorsnelheid
500 GB harde schijf
1024 MB werkgeheugen

Voor basisgebruik hoeft u zich bij de computer van € 500 geen zorgen te maken over de capaciteit. Wilt u veel met geluid en beeld gaan werken, vraag dan om advies bij de leverancier. Een zwaardere computer is dan meer geschikt.

Diskette, cd-rom en dvd
Vroeger bewaarde men informatie buiten de computer op een diskette. De opslagcapaciteit was circa 1,4 MB (Megabytes). Daarna volgde de cd-rom met een opslagcapaciteit van circa 650 MB(Megabytes). Tegenwoordig beschikken we ook over de dvd. Hierop kunnen 4,2 GB (Gigabytes) worden opgeslagen.

Computers die in 2007 worden aangeboden kunnen allemaal cd-rom's lezen en beschrijven en ook allemaal met een dvd overweg. Soms kunnen dvd's wel gelezen worden, maar niet worden beschreven. Informatie vanuit de computer op dvd zetten is dan niet mogelijk. Over een jaar is dit misschien al weer een standaardvoorziening.

Interessante websites

Hierna volgen wat voorbeelden van veelbezochte internetadressen, met een korte beschrijving van de inhoud. Het is maar een willekeurige selectie. Er bestaan nog heel veel meer interessante, mooie en leuke websites die een bezoekje waard zijn.

www.seniorweb.nl

Niet voor niets bovenaan in dit rijtje. Met ruim 650.000 bezoekers per maand is seniorweb de populairste 50-plus website. De belangrijkste onderwerpen zijn computer, internet, vrije tijd, geld, wonen, gezondheid en samenleving. Een levendige en overzichtelijke website met veel nuttige informatie en diverse mogelijkheden om met anderen in contact te komen. Als beginnend computergebruiker zit je goed bij seniorweb. In zo'n driehonderd zogenoemde seniorwebleercentra door het hele land worden computercursussen georganiseerd, vaak in samenwerking met de plaatselijke seniorenbonden. Een leger van 1600 vrijwilligers helpt jaarlijks zo'n 45.000 cursisten op weg met de basisbeginselen.

www.marktplaats.nl

Op zoek naar een onderdeeltje voor een oldtimer, een kanariekooi of een speciaal soort dakpannen? Marktplaats.nl is de aangewezen plek. Op deze website vindt u rond de 4 miljoen advertenties van tweedehands goederen.

www.2ehands.nl

Met circa 665.000 advertenties ook een site om prettig op rond te snuffelen. Met het nut van recycling in gedachte een poging waard.

www.funda.nl

Houdt u van huizen kijken, dan kunt u uw hart ophalen op dé huizensite van Nederland. U vindt er ruim 144.000 huizen met prijzen, beschrijvingen, foto's en plattegronden. Na het intypen van de gewenste plaats, het bestedingsbedrag, het type woning, het aantal kamers en andere voorkeuren wordt automatisch een selectie gemaakt van geschikte woningen. Een praktische en overzichtelijke site om uw huizenjacht mee te beginnen.

www.schoolbank.nl

Een heel populaire site met 3 miljoen geregistreerde bezoekers. Zoek de woonplaats waar u vroeger in de schoolbanken zat en selecteer de juist school. Ongetwijfeld vindt u daar meerdere namen van vroegere klasgenootjes, met verhalen en ook wel foto's. 'Altijd voetballen tussen de middag...', schrijft een man uit de schoolperiode 1930/1940. Naast voetballen komen ook andere onderwerpen aan bod: er schijnen regelmatig oude (school)liefdes op te bloeien. Ook dienstmaten kunnen elkaar via deze site terugvinden.

www.nu.nl
Op de bank met een krant voelt misschien gezelliger, maar voor het landelijke nieuws komt u ook op deze site volledig aan uw trekken. Veel rubrieken, mooie foto's, het weer en de actuele filemeldingen trekken per maand rond de vijf miljoen bezoekers.

www.wikipedia.org
De gratis toegankelijke encyclopedie WikipediA presenteert zich als een gemeenschapsproject. De inhoud van de site met ongeveer 260.000 artikelen wordt continu door bezoekers aangevuld en bewerkt. Leuk om bij 'zingende zaag' naast een foto ook een geluidsfragment aan te treffen. Zeer uitgebreide informatie over de meest uiteenlopende onderwerpen.

www.detelefoongids.nl
Alle telefoonnummers van Nederland binnen handbereik. Na een klik op het woordje 'kaart' achter het adres verschijnt er een plattegrondje, dat van 'landelijk' tot 'straatniveau' kan worden ingesteld.

www.anpfotoarchief.nl
Historisch Fotoarchief met ANP nieuwsfoto's van 1900 tot heden. Zoeken kan op trefwoorden en op de gewenste periode. Mooie oude beelden met tekst en uitleg. Een foto uit 1909 toont het pasgeboren prinsesje Juliana in de armen van koningin-moeder Emma.

De mobiele telefoon
In het boekje Vraagbaak voor de vrouw, rond 1950 uitgegeven door de Lever's Zeepmaatschappij N.V., staat onder het kopje 'Telefoon' onder meer het volgende te lezen: 'Telefoneren is een gemak, goed telefoneren is een kunst. De kunst namelijk om kort en zakelijk te zijn, maar toch beleefd te blijven, anderen niet te ergeren of onnodig te laten wachten. Begin altijd met uw naam te noemen, als u wordt gebeld. De P.T.T. raadt het zo aan.' Het moge duidelijk zijn, bellen deed je alleen als het nodig was. Opgegroeid met deze gedachte zijn veel senioren in vergelijking met de naoorlogse generatie een stuk behoudender met bellen.

Dit verschijnsel is pas echt gaan opvallen na de introductie van de mobiele telefoon. Telefoneren speelt zich niet langer achter gesloten deuren af. Op allerlei openbare plaatsen zoals in treincoupés kun je tegenwoordig meegenieten van de meest uiteenlopende levenskwesties. Complete bevallingen, ruzies op het werk, een nieuwe liefde, geen onderwerp lijkt taboe. Vooral jongeren telefoneren met een onbevangenheid alsof ze thuis op de bank zitten. Dat anderen deelgenoot worden van hun gesprekken lijkt ze niet te deren. Veel senioren storen zich hieraan. Jongere mensen kunnen zich daarentegen ook uitgebreid verbazen of ergeren over het spaarzame telefoongebruik van de oudere generatie. Daar sta je dan op het station te wachten, in de hoop dat je vader in de volgende trein zit. Zijn mobiel staat uit!

'Geen probleem zonder mobiel, in geval van nood hebben de mensen om je heen allemaal zo'n ding.'

Natuurlijk is niet iedere jongere belziek en heeft niet iedere senior bezwaar tegen zomaar een belletje. Over het gebruik van de mobiele telefoon lopen de opvattingen echter duidelijk uiteen. In januari 2005 hield Seniorweb hierover een enquête onder bezoekers van de website. Van de 556 deelnemers sprak ruim dertig procent zich uit tegen het gebruik van het mobieltje in openbare ruimten en ruim vijftig procent vindt dat de telefoon uit moet in gezelschap. Op een vraag over het gebruik, blijkt dat zeventig procent van de 1857 deelnemers de mobiel alleen voor noodgevallen bij zich heeft. Zo'n acht procent meldde geen mobiel nodig te hebben.

Bel af en toe met uw mobieltje

Voor de vele senioren die hun mobieltje alleen voor noodgevallen bij zich hebben, is het aan te bevelen om daar toch af en toe gebruik van te maken. Mocht er zich een nare situatie voordoen, dan weet u tenminste nog hoe alles werkt. Zorg er (zonodig met hulp van anderen) ook voor dat de belangrijkste nummers in uw telefoon staan opgeslagen. Het nummer voor pech onderweg bijvoorbeeld en enkele nummers van familie en vrienden. Vertrouw er niet op dat u bepaalde nummers uit uw hoofd kent. In stresssituaties laat het geheugen ons eerder in de steek.

Mobiel en alarm ineen

De 'Secufoon' is een combinatie van een mobiele telefoon en een persoonlijk alarm. Na het indrukken van een noodknop wordt direct een spraakverbinding gemaakt met een alarmcentrale. Indien de gebruiker zelf kan aangeven wat het probleem is, zorgt de hulpdienst voor telefonisch advies en ondersteuning op basis van vastgelegde medische gegevens. Is dit niet mogelijk dan wordt direct een hulpprogramma gestart. Ook wordt bij gebruik van de noodknop met behulp van GPS-techniek buitenshuis tot op enkele meters afstand bepaald waar de beller zich op dat moment bevindt. Indien gewenst worden familieleden of kennissen via een sms-bericht geïnformeerd. Bij dit stukje technisch vernuft is de bediening zo eenvoudig mogelijk gehouden. Een groot display met kleurenscherm en maar vier toetsen maken het gebruik eenvoudig en overzichtelijk. Vergeleken met een normale mobiele telefoon zijn de kosten beduidend hoger, maar de Secufone is dan ook meer bedoeld voor mensen die door een lichamelijke of geestelijke beperking gebaat zijn bij directe hulp na één druk op de knop.

Bellen met hulp

De Mybell is een speciaal voor (oudere) senioren ontwikkelde mobiele telefoon. Het toestel heeft slechts drie gekleurde knoppen, waaronder drie nummers kunnen worden voorgeprogrammeerd. Er kan gekozen worden voor bellen via een centrale, waaraan men bij aanschaf een lijstje met persoonlijke nummers opgeeft. De centrale vraagt met wie van deze lijst u wilt worden doorverbonden. In combinatie met een telefoonabonnement (€ 11,95 per maand) is het toestel gratis. Bellen naar de nummers onder de knoppen kost per minuut € 0,09 naar vast en € 0,18 naar mobiel. Bellen via de centrale kost € 0,25 per minuut.

Op de website wordt gemeld dat je ook via internet je persoonlijke nummers kunt wijzigen. Dit advies zal meer bedoeld zijn voor iemand uit de omgeving van de eigenaar. Degenen die dit zelf kunnen, zijn ook wel in staat om een normale mobiele telefoon te bedienen. Uiteraard zijn er omstandigheden te bedenken waarin de Mybell bijzonder nuttig is. Bij een visuele handicap bijvoorbeeld, of als iemand door een aandoening als reuma niet in staat is om kleine toetsjes te bedienen. Ook voor mensen die snel verward zijn is de bediening van dit toestel meestal nog wel te overzien.

De digitale camera

Wie al een tijdje in het bezit is van een digitale camera kan zich bij het gebruik van een klassiek fototoestel met een rolletje een beetje blind voelen. Het went snel om na een digitale opname direct het resultaat te bewonderen. Deze mogelijkheid biedt grote voordelen en nodigt uit om zonder extra kosten te experimenteren en te ontdekken. Een kleurige vlinder in de bloementuin? Schiet rustig twintig foto's achter elkaar. De mooiste bewaar je, de rest kan weg. Na cruciale momenten kun je ook met een gerust hart je camera weer wegstoppen: je jarige kleindochter staat erop terwijl ze met stralende ogen twee kaarsjes uitblaast.

Zonder een eigen computer

Het fotorolletje is bij de digitale camera vervangen door een fotochip en een geheugenkaartje. In de fotozaak kan het geheugenkaartje uit de camera worden gehaald en worden uitgelezen in een computer. Het kaartje kan weer blanco de camera in voor de volgende opnamen. Verder verloopt de bestelling precies zoals bij het inleveren van een rolletje. Uw foto's worden daarna afgedrukt op fotopapier, maar u ontvangt geen negatieven. Als u dit een probleem vindt, dan kunt u tegen betaling de digitale fotobestanden op een cd-rom laten zetten. U kunt dan zonodig later dezelfde foto's nog eens laten afdrukken. Wilt u thuis ook zelf foto's printen maar heeft u geen computer, dan kunt u een speciale fotoprinter aanschaffen.

Met computer

Computerbezitters kunnen met behulp van een geheugenkaartlezertje of via een kabeltje de beelden op hun eigen computer opslaan, op het beeldscherm bekijken en indien gewenst bewerken met een fotoprogramma. De foto van de kleindochter kan met een leuk berichtje per e-mail aan de ouders worden verstuurd of worden afgedrukt. De vlinder kan worden gebruikt voor het maken van een persoonlijke ansichtkaart. Uw foto's kunt u op onderwerp rangschikken in een digitaal fotoalbum, met indien gewenst bijbehorende tekstjes. Een verzameling foto's kunt u ook buiten de computer bewaren op een cd-rom of op een dvd. In het laatste geval kunt u deze ook op uw televisie bekijken.

De aanschaf

Bedenk eerst wat u met uw camera wilt. Schiet u af en toe een plaatje op een verjaardag of trekt u er vaak speciaal op uit om een serie mooie foto's te maken? Gaat het toestel vaak mee op vakantie, dan vindt u het misschien hinderlijk om steeds over een dure camera te moeten waken. Wilt u uw camera altijd bij u dragen, dan is een klein formaat heel praktisch. Heeft u een hekel aan technische hoogstandjes, kijk dan uit naar een eenvoudig te bedienen camera.

Pixels

Het aantal pixels (beeldpunten) bepaalt de kwaliteit van de foto's. Hoe meer beeldpunten, hoe groter er kan worden afgedrukt zonder dat de foto onscherp wordt. Voor normaal gebruik is een waarde vanaf 3 megapixels prima.

Zoomfunctie

Een optische zoomfunctie vergroot de mogelijkheden. De meeste camera's hebben deze functie, die niet moet worden verward met een digitale zoomfunctie. Bij een optische zoomfunctie haalt u het onderwerp dichterbij zonder dat de beeldkwaliteit daaronder lijdt. Bij gebruik van een digitale zoomfunctie wordt als het ware een stukje van de foto uitvergroot. Het eindresultaat bevat dan minder beeldpunten en de kwaliteit is daardoor lager. De meeste camera's beschikken over beide functies. De vermelding 3x optische zoom levert al een goed werkbaar geheel op.

Geheugen

De capaciteit van het geheugenkaartje wordt aangegeven in MB. Hoe hoger dit getal, hoe meer foto's je kunt maken voordat het kaartje vol is. Per foto heeft u 1 á 2 MB opslagruimte nodig. Het bijgeleverde geheugenkaartje is meestal aan de krappe kant (32 MB). Met de aanschaf van een extra kaartje van bijvoorbeeld 128 of 256 MB kunt u dit probleem verhelpen. Kijk bij aanschaf van een camera ook naar de prijzen van de bijbehorende geheugenkaartjes. Deze kunnen per type nogal verschillen.

Display

Bij het maken van een foto ziet u op een schermpje (display) wat er straks op de foto komt. Kijk of er ook een mogelijkheid bestaat om door een venstertje te kijken. Bij felle zon zijn de beelden op een display vaak niet goed te zien. Een al te klein display is ook niet praktisch.

Printen

Het afdrukken van foto's kan thuis met behulp van een computer en een printer of met alleen een printer waarin een geheugenkaartje van een camera kan worden geplaatst. Voor deze printers is ook een klein formaat fotopapier beschikbaar, zodat u de foto's achteraf niet op maat hoeft te snijden. Leuk om het bezoek direct een foto mee te geven, maar bij grotere aantallen blijft de ontwikkelcentrale een stuk voordeliger.

De aanschaf

Een digitale fotocamera met optische zoom en minimaal 3 megapixels begint rond de vijftig euro en eindigt ergens in de duizenden euro's voor de professionals. Voor een budget van rond de tweehonderd euro heeft u al een ruime keuze uit vele modellen en opties. De prijzen van geheugenkaartjes zijn afhankelijk van de opslagcapaciteit. Voor 256 MB betaalt u ongeveer € 10. Omdat u een geheugenkaart alsmaar opnieuw kunt laden met foto's, is de aanschaf in vergelijking met de fotorolletjes bij de klassieke camera snel terug verdiend.

Digitale videocamera

Wie tegenwoordig naar de winkel gaat voor een (nieuwe) videocamera zal haast alleen maar digitale exemplaren aantreffen. Net als bij de fotocamera's hebben ook hierbij de ontwikkelingen niet stilgestaan en dat biedt zo zijn voordelen. Digitale camera's zijn aanzienlijk compacter en het schermpje aan de buitenkant werkt praktisch, zowel bij het opnemen als bij het afspelen. De filmbeelden worden vastgelegd op digitale minitapes. Er bestaan ook al camera's met kleine dvd-schijfjes die direct kunnen worden afgespeeld in de dvd-speler, maar deze zijn nu nog aanmerkelijk duurder.

De digitale videocamera kan met een kabeltje rechtstreeks worden aangesloten op de televisie of op de computer. In het laatste geval kan de film naar de computer worden overgezet. De film kan dan zonodig worden bewerkt. Via een videorecorder kan de film ook worden overgezet op een videoband. De kwaliteit gaat hierbij wel achteruit. Met een dvd-recorder kan de film op dvd worden gezet met behoud van de kwaliteit. Wanneer de computer beschikt over een dvd-schrijver, kan dat ook rechtstreeks vanuit de computer. Films op de computer overzetten vanuit een camera met een dvd-schijfje is niet zo eenvoudig als je in eerste instantie zou denken. Als u graag films bewerkt, laat u hierover dan eerst uitgebreid voorlichten.

Er zijn digitale filmcamera's die u ook als fotocamera kunt gebruiken. De opname worden dan op een apart geheugenkaartje gezet, net zoals bij een digitale fotocamera. Voor wie vaak niet kan kiezen tussen het meenemen van een fotocamera of een videocamera kan dit een oplossing zijn.

Er worden al digitale videocamera's aangeboden voor rond de tweehonderd euro, maar een uitgave van rond de vijfhonderd euro is een stuk reëler. Mocht u de loterij winnen: een camera van vijfduizend euro is er ook voor u.

'De laatste jaren was er een generatiekloof met collega's en miste ik de aansluiting.'

Dvd-speler

De mogelijkheid om een film op videoband te huren is stilletjes aan het verdwijnen. Videotheken bieden straks alleen nog maar films aan op dvd. Voor de echte filmliefhebbers een positieve ontwikkeling. De kwaliteit van een dvd is veel beter. Het trage heen en weer spoelen is ook verleden tijd. Met de afstandsbediening spring je snel naar de gewenste scène. Als extra's staan op een dvd vaak ook nog details over de totstandkoming van de film, interviews met acteurs, commentaar van de filmmaker, een quiz of een kort extra filmpje. Bij elkaar het zogenoemde 'bonusmateriaal', voor het geval u deze term nog niet was tegengekomen.

En hoe moet het nu met de bewaarde videobanden van vakanties, huwelijken en de gevolgen hiervan? U kunt de videofilm laten overzetten op dvd. Dit kost u ongeveer tien tot vijftien euro per band.

Een eenvoudige dvd-speler is al te koop vanaf ongeveer veertig euro. Hiermee kunt u dan alleen dvd's bekijken. Een dvd-speler waarmee u ook u ook films en programma's van uw tv kunt opnemen is er vanaf ongeveer honderdvijftig euro. Voor de echte geluidsfreaks zijn er complete zogenoemde homecinemasets te koop. De dvd-speler wordt dan geleverd met een uitgebreide set boxen, zodat de realistische filmgeluiden optimaal worden weergegeven. Op die manier creëert u uw eigen bioscoop, maar dan zonder de weeïge geur van popcorn. Prijzen van deze sets liggen tussen de honderdvijftig en duizend euro. De meningen over de schoonheid van nog een extra stel boxen in de huiskamer lopen nogal uiteen. Veel vrouwen zien ze liever ergens onopvallend weggestopt. De heren daarentegen vinden de aanblik van een flitsende set vaak verrijkend voor het interieur. Iets om even over na te denken voor u samen naar de winkel stapt.

Mp3-speler

Vroeger luisterden we buitenshuis met een transistorradiootje tegen het oor geklemd naar de Top-40. Later werd de Walkman populair: je favoriete muziek zette je op een cassettebandje en met de oordopjes was je niemand tot last. Vervolgens deed de Discman zijn intrede en met de cd als geluidsdrager ging de kwaliteit met sprongen vooruit. Wie nu (buitenshuis) muziek wil luisteren schaft zich een mp3-speler aan. De miniuitvoeringen kun je aan een koordje om je hals hangen en de grotere exemplaren zoals de bekende iPod hebben afmetingen van bijvoorbeeld circa 6 x 10,5 x 1,9 cm.

De opslagcapaciteit varieert van 128 MB tot 80 GB. Een enkel muzieknummer neemt ongeveer 5 tot 10 MB in beslag. Op een exemplaar van 80 GB passen 20.000 nummers! De prijzen variëren van enkele tientallen euro's tot een paar honderd euro, afhankelijk van de uitvoering, de capaciteit en de mogelijkheden. Op verschillende uitvoeringen van de iPod kun je bijvoorbeeld naast muziek en gesproken boeken ook foto's, films en spellen opslaan. Deze kunnen via internet tegen betaling worden gedownload. De iTunes Music Store van Apple is met een keuze van ruim 3 miljoen muzieknummers ontzettend populair. Ook biedt deze site een keuze uit 20.000 gesproken boeken. De prijs per muzieknummer ligt rond één euro. Of de mp3-speler in de toekomst nog verkocht zal worden, is maar de vraag. Veel mobiele telefoons hebben naast een ingebouwde foto/filmcamera tegenwoordig ook een ingebouwde mp3-speler.

Autonavigatiesysteem

'Zal ik je een routebeschrijving sturen?' De bezoeker antwoordt met een tevreden glimlach dat dat niet nodig is. Zijn TomTom vertelt hem onderweg wel hoe hij moet rijden. Het enige wat hij daarvoor hoeft te doen is het adres van zijn bestemming invoeren.

Hoe werkt het

Een navigatiesysteem bestaat uit drie onderdelen:
- *een gps-ontvanger*
- *een aantal digitale kaarten*
- *een computer*

Rond de aarde draait een aantal satellieten die continu signalen uitzenden. De gps-antenne van het navigatiesysteem ontvangt deze signalen en de computer berekent aan de hand daarvan uw positie. Vervolgens berekent de computer de route. Op een schermpje verschijnt een kaartje waarop uw positie wordt aangegeven. Een stem vertelt u of u moet voorsorteren, links- of rechtsaf moet gaan en wat verder van belang is om zonder omwegen uw bestemming te bereiken.

'Door de aanschaf van mijn computer heb ik veel nieuwe contacten opgedaan.'

Er zijn verschillende merken in omloop en ook zijn combinaties verkrijgbaar met bijvoorbeeld een mobiele telefoon of een laptop. Afhankelijk van het type en de prijs beschikt een systeem over meerdere (gedetailleerde) kaarten binnen de Benelux en Europa en over alle mogelijke technische snufjes. Er zijn systemen die moeten worden ingebouwd en op zichzelf staande systemen die op het dashboard kunnen worden bevestigd. De prijzen beginnen bij een paar honderd euro.

Als het maar niet went thuis

Vrolijk en vol goede moed neemt Gerard afscheid van zijn werk en zijn collega's. De eerste dagen thuis brengt hij door in een soort vakantiestemming. Vanaf zijn vijftiende heeft hij gewerkt en hij was er wel aan toe om te stoppen. Alle aandacht en attenties rond de laatste dagen hebben hem goed gedaan en de gedachte om eerst maar eens even bij te komen spreekt hem wel aan. Na enkele weken bedenkt Gerard dat hij toch wel moeite heeft om zijn draai te vinden. Hij voelt zich wat somber en gespannen. Met 'Even een terugslag joh, dat hoort erbij!' spreekt zijn beste vriend hem moed in. Het helpt niet echt. Ook na enkele maanden lukt het hem nog steeds niet om de dagen zonder wolken te beginnen. Ondertussen lijkt iedereen om hem heen vrolijk in de weer met zaken waar hij niet bij nodig is. Zelf komt hij tot niets waar hij echt plezier in heeft en de dagen duren eeuwig. Wat een desillusie! Is dit het zo'n beetje voor de komende twintig jaar? Gerard moet er niet aan denken.

Niet alleen pessimisten, doemdenkers of mensen die alleen wonen kunnen in een dergelijke situatie belanden. Ook optimisten met een mooi huis, een grote tuin, een fijne partner en gezonde kinderen lopen het risico om zich soms al na enkele weken ongelukkig of eenzaam te voelen. 'Hoe is het toch mogelijk?' kan iemand wie dit overkomt zich vertwijfeld afvragen. Hoewel je alles hebt wat een mens zich maar kan wensen voel je je ellendig. De enige duidelijke verandering is dat je geen werk meer hebt. Een weg terug is er niet en daarbij zijn er maar weinig mensen die dit ook echt zouden willen.

Wat is er mis?
Dat het in het begin wat moeite kost om je thuis aan te passen aan een leven zonder werk en collega's is niet zo vreemd. Ook het verschijnsel dat je na enkele weken of maanden een tijdje uit je doen bent of wat futloos en down is niet ongewoon. Het leed blijft daarbij meestal wel te overzien en is vaak ook van tijdelijke aard. Over het algemeen hebben de meeste mensen het toch binnen een vrij korte periode goed naar hun zin.

Moet echt alles meezitten om je thuis tevreden en gelukkig te voelen? Uit de interviews komt dit niet naar voren. Net zoals voor het afscheid kennen de dagen naast hoogtepunten ook de nodige dieptepunten maar op de vraag hoe het thuis bevalt, volgt meestal zonder aarzelen een positief antwoord. Daarbij kunnen de geïnterviewden in veel gevallen wel haarfijn aangeven in welke richting de knelpunten gezocht moeten worden. Soms bleek dit uit een persoonlijk verhaal, soms uit een enkel zinnetje.

Heimwee naar het vak

Maar weinig mensen kampen met dit probleem, maar het komt voor: een groot gemis van het beroep dat men jaren met veel plezier en voldoening heeft uitgeoefend. Mensen die hieraan lijden waren liever helemaal niet gestopt met werken en hadden desnoods in een minder aantal uren hun beroep nog jaren uitgeoefend. Wie echte liefde voor zijn vak voelt, leeft voor zijn werk. Tijd en energie voor andere interesses zijn er vaak in mindere mate. Eenmaal verplicht in de VUT of met pensioen komt dit dubbel zo hard aan. Met je ziel onder je arm op zoek gaan naar iets 'leuks' werkt niet echt. Als de sociale contacten zich dan ook nog afspeelden rond het vakgebied, houdt het snel op. De gesprekken van anderen interesseren je gewoon minder en over het weer ben je wel uitgepraat.

Het verlies van het werk is niet eenvoudig te compenseren, maar zijdelings zijn er misschien wat aanknopingspunten te vinden om het leed te verzachten. Wat waren precies de eigenschappen van het werk die voor zoveel voldoening en plezier zorgden? Zijn deze eigenschappen niet ergens in een gelijksoortige vorm terug te vinden? Wat was er zo bijzonder aan de manier van samenwerken? Is het ergens mogelijk om mensen te ontmoeten met dezelfde interessen?

De kans dat iemand u de antwoorden op deze vragen komt aandragen is gering. U zult zelf op zoek moeten naar een invulling die het gemis enigszins kan compenseren of doen vergeten. Ontneem uzelf daarbij niet bij voorbaat de kans om nieuwe dingen te ontdekken door u te concentreren op een afgebakend gebied. Probeer desnoods het een en ander uit. Wat heeft u uiteindelijk te verliezen?

Eenzaam

Veel mensen missen na het stoppen met werken het contact met de collega's. Niet alleen de collegiale gezelligheid, maar ook het samen ergens aan werken wordt gemist. Door zich aan te melden als vrijwilliger wordt dit gemis bij veel senioren weer grotendeels gecompenseerd. Ook al word je voor het werk niet betaald, de samenwerking is er weer en met elkaar kun je daar veel voldoening aan beleven. Je hoort ergens bij en je aanwezigheid is vanzelfsprekend. Je bent niet op visite, je bent aan het werk.

Soms voelt men niet zozeer een gemis aan collega's, maar in het algemeen een gebrek aan contacten. Wie alleen woont en weinig contacten had buiten het werk, kan zich bij gebrek aan mensen om zich heen behoorlijk down gaan voelen. Je lief en leed wordt met niemand meer gedeeld. Je gaat je somberder voelen en eenmaal in een dergelijke situatie verloopt het leggen van nieuwe contacten steeds moeizamer. Als je je dan ook nog eens verplicht voelt om bij anderen altijd opgewekt en gezellig te zijn, dan blijft de deur naar een omgeving met nieuwe contacten steeds vaker op slot. Je kunt je ook eenzaam voelen zonder dat je echt alleen bent. Midden tussen mensen die het allemaal druk hebben met van alles en nog wat, kun je je vreselijk verloren voelen. Soms ontbreekt de aansluiting met anderen gewoon. Het delen van emoties en het uitwisselen van gedachten ontbreekt en zelfs midden in een kamer vol mensen die tegen je aanpraten, beleef je de wereld vanaf een soort eiland.

> *'De eerste twee jaar herinner ik me als een nare tijd. Mijn vrouw werkte nog en ik had twee linkerhanden. Ineens moest ik gaan koken en het huishouden doen. We waren ook kort daarvoor verhuisd, dus ik had nog geen bekenden in de buurt.'*

Wie zich op wat voor manier dan ook vaak alleen voelt en zelf nog de energie en de veerkracht heeft om contacten te leggen, doet er goed aan om daar aandacht aan te besteden. Wie er zelf niet meer uitkomt kan in een gesprek met bijvoorbeeld een maatschappelijk werkster of de huisarts naar een oplossing zoeken. Contacten met anderen zijn net zo belangrijk als voldoende eten, slapen en drinken en de gevolgen van eenzaamheid moeten niet worden onderschat.

Depressief

Het kan iedereen overkomen; de kans om depressief te worden is niet voorbehouden aan een bepaalde groep mensen van een bepaalde leeftijd of in een bepaalde situatie. Wel is bekend dat vrouwen een grotere kans hebben om depressief te worden. Ook zijn er verschillende omstandigheden die de kans op een depressie groter maken, maar de reden van deze ingrijpende en allesbeheersende aandoening is niet altijd duidelijk in kaart te brengen. Zowel voor de patiënt als voor de omgeving vormt een langdurige periode van depressiviteit een zware aanslag op het levensgeluk. 'Je kunt beter een been breken', is een veelgehoorde opmerking van mensen die depressief zijn. 'Iedereen ziet dan direct aan je dat je wat mankeert en daar wordt rekening mee gehouden.' Daarbij is ook de kans groot dat je binnen een redelijke periode weer bent hersteld.

De kenmerken van een depressie zijn niet bij iedereen gelijk. Vaak zijn er wel gevoelens van verdriet, angst en eenzaamheid. Daarbij is het moeilijk om van dingen te genieten en prikkels uit de omgeving zorgen snel voor vermoeidheid en irritaties. Slecht slapen, concentratieproblemen, overactiviteit, passiviteit, malende gedachten, oververmoeidheid en nog vele andere symptomen staan het leiden van een normaal leven in de weg. Als deze symptomen zich gedurende langere tijd en in ernstige vorm voordoen, dan spreekt men van een depressie. Wie na het stoppen met werken geconfronteerd wordt met een depressie heeft hulp nodig. Misschien ligt de oorzaak in de nieuwe manier van leven of misschien is er tijdens het werken schade opgelopen. Ook is de mogelijkheid aanwezig dat er door een drukke baan iets uit het verleden niet goed is verwerkt.

Wat de oorzaak ook mag zijn, een depressie is niet iets waar je zonder begeleiding mee kunt blijven rondlopen. Jammer genoeg komt dit wel vaak voor, want mensen die depressief zijn, komen er uit zichzelf vaak niet meer toe om aan de bel te trekken. Als je zelf al niet begrijpt wat er met je is, hoe moet een ander dat dan weten? Ook de angst dat anderen denken dat er een steekje aan je los is of dat je je aanstelt, weerhoudt mensen ervan om hulp te zoeken. Maanden en jaren kunnen zo worden doorgebracht in een uitzichtloze situatie, die soms ook de omgeving mee de diepte intrekt. Als de depressieve gevoelens niet van tijdelijke aard zijn, is het belangrijk om (zonodig met behulp van iemand anders) actie te ondernemen. In eerste instantie is een afspraak met de huisarts de meest voor de hand liggende stap. De huisarts zal de symptomen herkennen, oog hebben voor de ernst van de zaak, zo mogelijk zelf hulp bieden of een doorverwijzing voorstellen. Soms kunnen medicijnen voor een verbetering zorgen, maar ook gesprekken of een therapie kunnen voor verlichting en hopelijk voor genezing zorgen.

Niet gezond

Wie nergens zin in heeft en zich niet happy voelt, kan ten onrechte denken dat de oorzaak hiervan op het geestelijke vlak moet worden gezocht. Een lichamelijke aandoening kan echter ook de oorzaak zijn van lusteloosheid en een gebrek aan initiatief. Misschien bestaan de klachten al langer en werd de oorzaak voorheen gezocht in de omstandigheden op het werk. Als de klachten zich weken na het afscheid echter nog steeds voordoen, kunnen ze niet meer worden toegeschreven aan de werkdruk, de gespannen sfeer of de te lange dagen. Er is iets anders aan de hand. Wie niet aan depressies lijdt en niet al te ongezond leeft, met voldoende nachtrust en een gevarieerd voedingspatroon, moet zich in principe goed genoeg voelen om met plezier dingen te ondernemen. Is er niets op genoemde punten aan te merken maar toch te weinig animo en energie voor actie, dan moet daar een andere oorzaak voor zijn. Is de algehele conditie misschien ver beneden peil, is er een tekort aan iets, heeft men iets onder de leden of is een combinatie van deze mogelijkheden de boosdoener?

De conditie

Lusteloosheid, vermoeidheidsklachten en een weerzin om iets te ondernemen kunnen worden veroorzaakt door een gebrekkige algehele conditie. Wie zich niet fit voelt, ontwikkelt al snel de gewoonte om steeds vaker te gaan rusten, maar bij een slechte conditie werkt dit averechts. Door langer op bed te blijven liggen en een middagslaapje in te bouwen, neemt de conditie juist nog verder af en voelt men zich steeds eerder vermoeid. Wie zichzelf bij een slechte conditie zover krijgt om een week lang dagelijks een uurtje te gaan wandelen of fietsen, moet zich vrij snel energieker gaan voelen. Desnoods kan de lengte van de wandeling of fietstocht in een paar dagen worden opgebouwd. Van bewegen wordt men in het algemeen ook opgewekter. Treedt er verbetering op, dan is in beweging blijven een goede remedie. Bent u echt te moe om iets te presteren of voelt u zich na een halfuurtje wandelen niet prettig, dan is er wellicht iets anders aan de hand.

Tekort aan iets

Heeft bewegen geen effect, dan is er misschien een tekort aan het een of ander. Dit kan ook het geval zijn als u normaal en afwisselend eet. Een tekort aan een enkel stofje kan ingrijpende gevolgen hebben. Als we alleen al kijken naar de mogelijke symptomen bij een tekort aan ijzer, dan is het direct voorstelbaar dat dit enthousiast genieten van de vrije tijd in de weg staat: vermoeidheid, zwakte, kortademigheid, duizeligheid, hartkloppingen, hoofdpijn, prikkelbaarheid en koude handen en voeten. Als u ergens gebrek aan heeft, dan weet uw huisarts aan de hand van uw klachten vaak al snel in welke richting hij het moet zoeken. Als zijn vermoedens kloppen, dan is er vaak op korte termijn een oplossing te bieden. Het is zonde en ook niet altijd zonder risico's om met dergelijke gezondheidsproblemen te blijven rondlopen.

Iets onder de leden

Als er geen tekort is aan het een of ander, wordt u misschien door een mogelijke aandoening verhinderd om op uw eigen manier invulling te geven aan uw dagen. Op zestigjarige leeftijd functioneer je niet meer als een jonge atleet, maar de gemiddelde senior deinst niet terug voor een fietstocht van een uur. Wie constant het gevoel heeft zijn lijf achter zich aan te moeten slepen, doet er verstandig aan om alle klachten eens goed in kaart te brengen en deze onder de aandacht te brengen van de huisarts. Deze kan dan op een passende manier actie ondernemen.

Uitgerangeerd en overbodig

'Meneer Pietersen, kijkt u even hier... Meneer Pietersen, ziet u een oplossing en heeft u ook even tijd voor...' Het nut van de aanwezigheid van meneer Pietersen trek je niet in twijfel. Zijn inbreng is hard nodig om het werk van de afdeling op tijd de deur uit te krijgen. Zijn uitgebreide kennis en ervaring bieden hem de mogelijkheid om anderen te ondersteunen en dat doet hij met plezier en voldoening. Na zijn pensionering is er niemand meer die aanspraak maakt op zijn talenten en zijn alom geprezen vakkennis. Als er een beroep op hem wordt gedaan is dat meer in de trend van: 'Jan, neem even de suiker mee...' en 'Jan, kun jij even opendoen...' Jan doet dit allemaal niet echt met tegenzin, maar voelt zich over het geheel genomen bijzonder nutteloos en overbodig. Steeds vaker blijft zijn blik als gefixeerd in de verte hangen, maar aan de horizon gloort geen oplossing.

'Terwijl je een jaar geleden nog medeverantwoordelijk was voor de jaarcijfers van een groot bedrijf, lijk je nu alleen nog maar vragen te beantwoorden over vakantie en kleinkinderen.'

Daar zit je dan met je zestig jaar. Ondanks een prima gezondheid en een helder verstand sta je als een afgedankte locomotief te roesten op een zijspoor. De kans dat een actiegroep meneer Pietersen weer op de rails zet is uitgesloten. Het initiatief om opnieuw een volwaardige invulling te vinden moet van hemzelf komen. Als dat uitblijft, is het maar de vraag of hij thuis ooit zijn draai zal vinden.

Te vroeg?

Het gevoel uitgerangeerd te zijn komt met name voor bij mensen die als ze het zelf voor het zeggen zouden hebben nog enkele jaren waren blijven doorwerken. Ze zijn wel thuis en officieel horen ze bij de groep vutters en gepensioneerden, maar van binnen voelen ze zich niet zo. Vooral een abrupte overstap kan leiden tot een soort identiteitscrisis. Een actieve rol in de maatschappij lijkt niet meer voor hen weggelegd en die genietende groep senioren: daar willen ze nog niet bijhoren.

Maak een start

Iets gaan ondernemen is in de meeste gevallen de beste remedie. Het maakt niet uit wat u gaat doen. Vanaf het moment dat er eenmaal een begin is gemaakt, volgt de rest vaak vanzelf. Misschien zijn de activiteiten niet direct helemaal naar wens, maar van het een komt vaak het ander. Wie met dingen bezig is, heeft daarbij ook minder tijd voor sombere gedachten.

Verlies van de partner

Het verlies van een dierbare komt nooit op een goed moment, maar wanneer dit verlies plaatsvindt in de periode rond het afscheid van het werk en de collega's, dan gaat men een zware tijd tegemoet. Ineens sta je er helemaal alleen voor en alles wat vertrouwd was om je heen lijkt anders. Heeft het allemaal nog zin? Niemand zit meer op je te wachten. Op je werk niet en thuis niet. Bij elkaar is de omschakeling heel ingrijpend en het is zwaar om in dergelijke omstandigheden een nieuw bestaan op te bouwen. Afleiding zoeken is belangrijk maar het verdriet verdwijnt er niet mee. Dat kost tijd en ook de nodige aandacht.

Zijn er in uw directe omgeving geen mensen om mee te praten, dan biedt contact met lotgenoten misschien vertroosting. Mensen die in eenzelfde situatie verkeren, begrijpen elkaar eerder en verwachten ook niet dat je je verdriet na enkele maanden zomaar opzij kunt zetten. Uiteindelijk pakken de meeste mensen ook na het verlies van een partner de draad wel weer op maar totdat het zover is, kan een luisterend en daarbij begrijpend oor niet worden gemist. Achter in dit boek staan diverse adressen waar u informatie kunt vinden over begeleiding bij rouwverwerking.

Ontspanning en inspanning uit balans

Een gebrek aan impulsen en uitdagingen kan leiden tot een impasse, waarin desinteresse en lusteloosheid de boventoon voeren. Als de dagen zich kenmerken door eentonigheid, wordt de neiging om in actie te komen steeds kleiner. Als je te weinig om handen hebt of te weinig meemaakt, kun je zonder een aanwijsbare reden een gespannen en vermoeid gevoel krijgen. De momenten van ontspanning worden daarbij steeds schaarser. Ontspannen doen we meestal automatisch na een geestelijke of lichamelijke inspanning. Na een moeilijke klus is het opgelucht ademhalen. Na een lange wandeling is het heerlijk bijkomen. Na een periode van werken geniet je met volle teugen van een vakantie. Te weinig afwisseling tussen inspanning en ontspanning is dodelijk voor de gemoedsrust en degenen die zich in een alsmaar herhalend patroon bevinden, zonder de nodige pieken en dalen, voelen zich zelden gelukkig.

Veel geïnterviewden gaven uit ervaring een dringend advies om in actie te komen en dingen te gaan ondernemen. Het kan de nodige moeite kosten om iets geschikts te vinden en misschien is dit niet direct voorhanden in de eigen woonomgeving. Ook kunnen bepaalde activiteiten u bij nader inzien niet bevallen en moet er een nieuwe poging worden ondernomen. Laat dit bij elkaar geen onneembare hindernissen vormen. Een ontdekkingstocht naar interessante en prettige bezigheden is meer dan de moeite waard. Er is ontzettend veel te doen en te beleven.

Niet thuis in je eigen huis

In het hoofdstuk 'Single of samen' wordt ingegaan op mogelijke problemen die thuis kunnen ontstaan na het stoppen met werken. Het gaat daarbij om duidelijke situaties, waarin irritaties en woordenwisselingen of erger de boventoon voeren. Op dergelijke momenten is het duidelijk dat men (tijdelijk) teleurgesteld is in elkaar. Anders ligt het wanneer er ongemerkt en zonder ook maar de minst kwade bedoelingen een situatie ontstaat die net zo min bij je past als een veel te krappe jas. Wanneer een van de partners al langer thuis is, heeft hij of zij vaak zijn of haar eigen bezigheden die volgens een bepaald patroon verlopen. Wie daar automatisch bij thuiskomst in meegaat, kan na verloop van tijd tot de conclusie komen dat dit niet ontspannen en feestelijk aanvoelt. Wat voor de een een prettige manier van leven is, kan voor de ander op den duur dodelijk saai zijn of juist veel te druk en te enerverend.

Zolang men nog werkt en zich alleen in de weekeinden of op vakantie naar de ander schikt, valt het nog wel mee. Wanneer het werk wegvalt, is deze gewoonte een stuk ingrijpender. De gevolgen hiervan kunnen, ondanks de goede intenties van de ander, heftiger uitpakken dan je je had voorgesteld: je voelt je niet prettig thuis en een bestaan zonder werk lijkt maar niet te wennen. Het antwoord op de vraag 'wil ik zo nog twintig jaar verder?' is een goede graadmeter om erachter te komen of je voldoende jezelf kunt zijn in je eigen huis.

Praten geeft inzicht

Is dit niet het geval dan is het goed om samen eens op een rijtje te zetten waar je allebei wel of juist geen plezier in hebt en welke dingen in aanmerking komen om samen te doen. Misschien blijkt de ander bepaalde zaken ook liever anders te zien, maar heeft hij of zij dit nooit opgemerkt. Als beide partners zich geforceerd aanpassen, dan is niemand daarbij gebaat. Met 365 dagen in het jaar moet het mogelijk zijn om tijd voor jezelf te reserveren en om dingen te doen waarbij je je in je element voelt. Er was voorheen toch ook voldoende tijd om naar het werk te gaan?

'Ik zit vaak al vroeg beneden, heerlijk lui met de ochtendkrant en een bak koffie. Stilletjes geniet ik van de filemeldingen rond de spits. Ook kan ik met genoegen luisteren naar het geluid van ruitenkrabbers in de vrieskou, terwijl ik me nog een keer heerlijk omdraai in mijn warme bed.'

Geef elkaar de ruimte

Elkaar de ruimte geven en elkaar stimuleren in het ondernemen van nieuwe persoonlijke initiatieven is misschien even wennen, maar uiteindelijk wordt het er in totaal een stuk plezieriger en interessanter op. Naast de woorden 'wij' en 'ons' zullen dan ook met regelmaat het 'ik' en 'mijn' klinken en dat voelt een stuk beter. Elkaar de gelegenheid geven om jezelf te zijn in je eigen huis is toch wel het minste wat je van elkaar mag verwachten.

Seniorenbonden op de bres

Denkt u bij het woord seniorenbond direct aan een clubje hoogbejaarden, knikkebollend op de terugreis na een dagje bollenstreek? Wanneer uw antwoord op deze vraag bevestigend is, wordt het hoog tijd om uw voorstellingvan zaken te herzien. Een reisje per ijsbreker naar Sint-Petersburg kan namelijk ook en het totale aanbod van activiteiten bij de bonden is enorm. Met 650.000 leden maken zij zich daarbij ook nog eens sterk voor een groot aantal seniorenbelangen. Gezondheidszorg, mobiliteit, leeftijdsdiscriminatie, koopkracht en nog veel meer onderwerpen staan regelmatig in de schijnwerpers. Met name de laatste jaren 'genieten' de bonden van een sterk groeiende belangstelling. Het genieten staat daarbij wel tussen aanhalingstekens. De toename van het aantal leden is grotendeels te danken aan de heersende onvrede over bezuinigingen en de daaruit voortkomende politieke beslissingen.

Voor jong en oud

Het woord ouderen wordt meer en meer verbannen bij de bonden. Liever spreekt men de leden aan met senioren en 50-plussers. Het vaak onterechte stoffige imago moet plaats maken voor een eigentijdse en zelfbewuste uitstraling. De naoorlogse generatie bestaat uit een mondige groep geëmancipeerde mannen en vrouwen en het aanbod aan activiteiten en mogelijkheden wordt steeds meer daarop afgestemd. Zowel de enthousiaste kunstliefhebber als de fan van een gezellig avondje bingo moet aan zijn of haar trekken komen. Het stereotype 'senior' bestaat niet en de leden vertonen grote verschillen in achtergrond, leeftijd, interesse, niveau en mogelijkheden. Een aanbod van 'voor elk wat wils' biedt mogelijkheden om gelijkgestemden te ontmoeten en om nieuwe activiteiten te ontplooien.

Wat bieden de bonden?

Belangenbehartiging, advies, educatie, ontspanning, vrijwilligerswerk, magazines en kortingen; in grote lijnen is daarmee wel aangegeven wat u van een lidmaatschap kunt verwachten. De jaarcontributie ligt tussen de vijftien en vijfentwintig euro, en daar krijgt u veel voor terug. Het meeste werk bij de bonden wordt door vrijwilligers verricht en de kosten voor de verschillende activiteiten zijn daardoor vaak sterk gereduceerd. Om u een indruk te geven van wat er zoal geboden wordt, vindt u hierna informatie over de genoemde onderwerpen. Tot slot volgt een korte omschrijving van de diverse seniorenorganisaties.

Belangenbehartiging

Bezuinigingen, aftakeling van de zorg en een vaak wijzende vinger naar het groeiend aantal ouderen zorgen niet direct voor een florissant toekomstbeeld. Veel problemen lijken te worden afgeschoven op de toenemende vergrijzing. In mei 2005 werd de magische grens van 2,5 miljoen AOW-ers bereikt. Dit aantal zal in de komende vijftien jaar toenemen tot vier miljoen en dat is bijna een kwart van de Nederlandse bevolking. Oplossingen lijken in het wilde weg te worden aangedragen: langer werken, geknaag aan de AOW, toch weer premies afdragen na het pensioen en andere maatregelen hangen dreigend in de lucht. Belastingmaatregelen worden aangegrepen om sturing te geven aan het geheel. Tien jaar geleden bood de fiscus nog een stevig belastingvoordeel bij een vervroegde uittreding. Nu wordt juist het langer blijven werken weer aantrekkelijker gemaakt. Hoe ziet de toekomst eruit als alle geplande maatregelen worden doorgevoerd, en worden beslissingen niet genomen over de ruggen van de wederopbouwgeneratie? Als het aan de seniorenorganisaties ligt, zal dat zeker niet zonder slag of stoot gebeuren. Met 650.000 leden valt er een behoorlijke stem op te zetten. De bonden vertegenwoordigen de senioren in een groot aantal commissies, raden en platforms bij onder andere gemeenten, provincies, het rijk, pensioenfondsen, zorg, vervoer en het bedrijfsleven. Vaak gebeurt dit vanuit het CSO (Coördinatieorgaan Samenwerkende Ouderenorganisaties). Hierbij zijn aangesloten de ANBO, NVOG, PCOB, Unie KBO en de gepensioneerdenorganisatie NVOG. Het CSO vormt een vaste gesprekspartner voor ministers, politici, kamercommissies en adviesorganen als de SER.

> 'De laatste jaren werden de eisen voor werknemers harder en de fijne sfeer van vroeger was weg. Je ziet het overal, het is een algemeen maatschappelijk verschijnsel.'

Ook is er regelmatig overleg met het bedrijfsleven en met verschillende buitenlandse ouderenorganisaties. Steeds vaker halen de acties en reacties van de gezamenlijke organisaties de landelijke pers. Een goede zaak voor het imago van de senioren, die met de nodige kennis en ervaring hun bijdrage leveren aan een gezonde maatschappij voor jong én oud.

Advies

Leden kunnen bij de bonden (meestal gratis) advies inwinnen over allerhande juridische en financiële zaken. Dit kan telefonisch en tegenwoordig ook per e-mail. Belastinghulp is ook aanwezig en niet zonder resultaat. In samenwerking met de belastingdienst werd de afgelopen jaren een uitgebreide campagne gevoerd. Senioren werd gewezen op het onbenut laten van het recht op belastingteruggave. Jaarlijks lopen zij daardoor met elkaar voor tientallen miljoenen euro's mis. Door de inspanningen van 1200 speciaal opgeleide vrijwilligers ontving de belastingdienst over het jaar 2004 naar schatting 40.000 extra aangiften.

Educatie

Het cursusaanbod van de bonden is heel divers. De computercursus is op dit moment heel populair, maar ook kunst, cultuur, sport en samenleving komen uitgebreid aan bod. De prijzen van de cursussen liggen vaak een stuk lager dan in het reguliere circuit. De inzet van een groot aantal vrijwilligers, maar ook subsidies van het rijk en het bedrijfsleven drukken de kosten. Het niveau varieert van zeer eenvoudig tot stevig brainstormen in bijvoorbeeld een cursus filosofie. Daarnaast worden regelmatig themabijeenkomsten georganiseerd over sociale en maatschappelijke onderwerpen.

Ontspanning

Dagtrips, meerdaagse reizen, (stads)wandelingen, excursies, lezingen, muziekavonden, sportieve evenementen, filmmiddagen: zomaar een greep uit het aanbod van ontspannende activiteiten. Nieuwe gezichten zien of juist oude bekenden terugzien, er heerlijk even tussenuit, in een vertrouwde groep nieuwe dingen ondernemen: er zijn legio redenen te bedenken waarom mensen hier met plezier aan deelnemen.

'De mensen kijken echt uit naar de dagtochten en reizen die we organiseren. De leeftijd van de deelnemers is heel gevarieerd: vanaf 55 tot 90 jaar.'

Vrijwilligerswerk

Wie zich met plezier nuttig maakt voor anderen kan bij de bonden uitgebreid zijn of haar hart ophalen. Bestuurlijk, organisatorisch of praktisch: geen talent blijft onbenut. Waar nodig worden vrijwilligers met trainingen en cursussen ondersteund. Ook jonge aanwas is welkom, maar deze groep is vaak wat terughoudender bij het aangaan van vaste verplichtingen.

De bladen

Leden van de bonden ontvangen automatisch een gratis magazine. De advertenties in deze bladen helpen u de trap op, het bad in, de stoel uit, de straat op en van allerhande ouderdomskwaaltjes af, maar verder oogt de inhoud eigentijds en interessant. In artikelen over bijvoorbeeld reizen, gezondheid, belasting en de computer vindt u veel nuttige tips en informatie. Post van lezers en interviews met al dan niet bekende leeftijdgenoten zorgen voor een realistische kijk op de samenleving.

Kortingen
Als lid van een bond profiteert u van diverse kortingen op producten en diensten. Aanbiedingen vindt u in de bladen en op internet.

De verschillende seniorenorganisaties
Niet alle, maar wel de meest bekende seniorenorganisaties worden hierna kort omschreven. Achter in dit boek vindt u de bijbehorende adresgegevens.

ANBO (Algemene Nederlandse Bond van Ouderen)

De ANBO is een vereniging met een algemeen karakter, voor en door 50-plussers met verschillende interesses en achtergronden. Zelfstandigheid en participatie, keuzevrijheid, beschikbaarheid en betaalbaarheid zijn de kernbegrippen. De ANBO wil graag meerdere generaties verenigen:
- jonge senioren, al dan niet deelnemend aan het arbeidsproces
- vitale gepensioneerden, meer of minder maatschappelijk actief
- oudere senioren die graag leeftijdgenoten ontmoeten
Aantal leden: 180.000 en circa 500 plaatselijke afdelingen.
Blad: ANBO Vizier verschijnt tienmaal per jaar.
Lidmaatschap: € 22,60 en samen € 41,60

De KBO laat zich inspireren vanuit een katholieke levensvisie. Daarbij worden solidariteit en betrokkenheid gezien als belangrijke waarden voor de samenleving en ook als de kern van haar eigen identiteit. De KBO behartigt de belangen van 50-plussers door mee te denken, mee te spreken en mee te doen op de verschillende beleidsterreinen. Landelijk wordt de KBO vertegenwoordigd door de Unie KBO.
Aantal leden: 282.000 en circa 950 plaatselijke afdelingen.
Blad: Nestor verschijnt tien maal per jaar.
Lidmaatschap: circa € 17,50 per jaar

NVOG (Nederlandse Vereniging van Organisaties van Gepensioneerden)

De NVOG is de landelijke overkoepelende vereniging van organisaties van gepensioneerden uit bedrijfsleven, overheid en maatschappelijke organisaties. De NVOG behartigt de collectieve belangen van gepensioneerden. Prioriteiten zijn: pensioen en pensioeninkomen (AOW en aanvullend pensioen) en medezeggenschap van gepensioneerden in pensioenfondsen.
Aantal leden: 82.000 vanuit zestig aangesloten organisaties
Blad: NVOG-Nieuws verschijnt viermaal per jaar.
Lid worden van de NVOG is voorbehouden aan organisaties van gepensioneerden. Individueel lid worden kan via de VIL (Vereniging van Individuele Leden).
Lidmaatschap: € 19 per jaar

De PCOB is een bundeling van 50-plussers uit alle protestantse kerken. De belangrijkste doelstellingen zijn het samen werken aan de positie van de ouder wordende mens en de behartiging van zijn geestelijke en materiële belangen. Hierbij richt de aandacht zich zowel op het algemeen belang als op dat van haar leden. De bijbel wordt door deze protestants-christelijke bond gezien als het uitgangspunt voor al haar denken en handelen.
Aantal leden: 105.000 en 350 plaatselijke afdelingen.
Blad: Perspectief verschijnt tienmaal per jaar.
Lidmaatschap: circa € 28 per jaar en samen circa € 44

NOMA (Nederlandse Bond Oudere Migranten Actief)

De NOMA (opgericht in 2005) behartigt de belangen van met name Marokkaanse en Turkse migranten. Ook senioren uit andere landen zijn welkom. Migranten kunnen met vragen over hulpverlening in de Nederlandse samenleving terecht op de daarvoor bestemde spreekuren.

Het CSO is het samenwerkingsverband van de ouderenorganisaties ANBO, NVOG, PCOB en Unie KBO. Het CSO wil de emancipatie en integratie van ouderen bevorderen en richt zich hierbij vooral op het beleid van regering en de politieke partijen.

Het CSO heeft circa dertig vertegenwoordigingen in diverse organisaties, stichtingen, verenigingen, stuurgroepen, raden, commissies en werkgroepen. Jaarlijks wordt in een CSO-werkplan een aantal onderwerpen vastgelegd, die door de vijf aangesloten organisaties gezamenlijk worden behandelend. Het Algemeen Bestuur van het CSO draagt daarbij zorg voor afstemming, coördinatie en besluitvorming.

Tot slot en de geraniums

Hoezo, Geraniums? Hoezo, Pelargoniums! Na een gesprekje met de Nederlandse Pelargonium & Geraniumvereniging blijken de eenjarige zomerbloeiers in tuinen en op vensterbanken 'pelargoniums' te heten. De vaste tuinplant: dat is de echte geranium! Bij nader inzien een goed bericht, want de vaste soort komt qua karakter en eigenschappen veel beter overeen met de Nederlandse senioren:

De tuingeranium komt voor in een groot aantal variëteiten en is op een enkele uitzondering na winterhard. Een zonnetje af en toe wordt op prijs gesteld. De plant gedijt bijna overal en komt zelfs op de meest bescheiden plaatsen tot bloei. Ook zonder al te veel aandacht gaat ze rustig haar gang. Eenmaal stevig geworteld laat de geranium zich niet snel verdringen door ander groen en van een enkel plantje groeit ze uit tot een rijke border. Zelfs in de somberste hoekjes ziet ze kans om een fleurig accent aan te brengen.

De 'echte geranium' is een dankbare plant die we de komende jaren steeds vaker zullen tegenkomen. Het gaat ze goed!

Adressen en links

Anneke de Blok
Smeestraat 11, 8194 LG Veessen
info@hoezogeraniums.nl
www.hoezogeraniums.nl

bronvermelding

Centraal Bureau voor de Statistiek
Prinses Beatrixlaan 428 (2273 XZ)
Postbus 4000, 2270 JM Voorburg
(070) 337 38 00, infoservice@cbs.nl
www.cbs.nl

Voor overige bronnen:
zie de desbetreffende hoofdstukken.

Wel of niet voorbereiden

prepensioencursus

Stavoor (landelijke opleidingsorganisatie)
Hoofdstraat 51 (3971 KB)
Postbus 36 , 3970 AA Driebergen
(0343) 52 43 00, info@stavoor.nl
www.stavoor.nl

SBI training & advies
Amersfoortseweg 98 (3941EP)
Postbus 69, 3940AB Doorn
(0343) 47 33 33, info@sbi.nl
www.sbi.nl

Stichting Mozeshuis
Waterlooplein 205, 1011 PG Amsterdam
(020) 622 13 05, mozeshuis@mozeshuis.nl
www.mozeshuis.nl

www.feesten.nl
www.personeelsfeestje.nl

Thuiszorg Groot Rijnland
Verbeekstraat 19-21(2332 CA)
Postbus 2254, 2301 CG Leiden
(071) 516 14 15, info@stgr.nl
www.thuiszorggrootrijnland.nl

Voedingscentrum
Eisenhowerlaan 108 (2508 CK)
Postbus 85700, 2508CK Den Haag
(070) 306 88 88, info@voedingscentrum.nl
www.voedingscentrum.nl

DVN (Diabetesvereniging Nederland)
Fokkerstraat 17 (3833 LD)
Postbus 470, 3830 AM Leusden
Diabeteslijn: (033) 463 05 66, info@dvn.nl
('s nachts alleen bellen in noodgevallen)
www.dvn.nl

www.opdieet.nl
Informatieve website van diëtiste Esther Mesman
www.overgewicht.org
Website van Kenniscentrum Overgewicht Amsterdam

Nederlandse Obesitas Vereniging
Stationsplein 6, 3818LE Amersfoort
(033) 422 40 31, informatie@obesitasvereniging.nl
www.obesitasvereniging.nl
Vereniging voor mensen die willen afvallen en voor
degenen die hun dik zijn willen accepteren of al
geaccepteerd hebben.

www.vitamine-info.nl
Objectieve en onafhankelijke informatie over
vitaminen en mineralen. Het VIB is ondergebracht
bij TNO Kwaliteit van Leven

Alcohollijn
Informatielijn: 0900-500 20 21 (€ 0,10 pm)
Informatie of een persoonlijk gesprek. U kunt
ook bellen als u zich zorgen maakt over iemand anders.
Informatie over regionale adressen CAD (Consultatie
bureau's Alcohol en Drugs) bij u in de buurt.

www.alcoholinfo.nl
Website van NIGZ met uitgebreide informatie over alcohol.

www.drinktest.nl
Website van NIGZ. Analyse van uw drinkgedrag met
behulp van een (anonieme) test en bijbehorend advies.

www.aa-nederland.nl
Anonieme Alcoholisten: delen ervaringen, kracht en hoop
AA-Hulplijn: (020) 681 74 31

www.minderdrinken.nl
MinderDrinken is een programma voor volwassenen die
zelfstandig hun alcoholgebruik willen minderen of willen
stoppen met drinken.

www.drugsinfo.nl
Algemene informatie over alle mogelijke soorten drugs.

STIVORO
Officebuilding Haagsche Hof
Parkstraat 83 (2514 JG)
Postbus 16070, 2500 BB Den Haag
(070) 312 04 00, site@stivoro.nl
informatielijn: 0900- 93 90 (€ 0,10 pm)
www.stivoro.nl
Voorlichting over de gezondheidsrisico's van roken,
training en telefonische coach.

Nationaal Fonds Geestelijke Volksgezondheid (NFGV).
Postbus 5103, 3502 JC Utrecht
(030) 297 11 97. info@fondspsychischegezondheid.nl
www.fondspsychischegezondheid.nl
Behartigt de belangen van mensen met een
psychische ziekte (subsidies, voorlichting en ondersteuning).

Nederlandse Hartstichting
Bordewijklaan 3 (2591 XR)
Postbus 300, 2501 CH Den Haag
(070) 315 55 55, info@hartstichting.nl
Informatielijn: 0900-300 03 00 (lokaal tarief)
www.hartstichting.nl

KWF Kankerbestrijding
Delflandlaan 17 (1062 EA)
Postbus 75508, 1070 AM Amsterdam
(020) 570 05 00, info@kwfkankerbestrijding.nl
Informatielijn: 0800-022 66 22 (gratis)
www.kwfkankerbestrijding.nl

Maag Lever Darm Stichting
Richterslaan 62 (3431 AK)
Postbus 430, 3430 AK Nieuwegein
(030) 605 58 81, voorlichting@mlds.nl
Informatielijn 0900-202 56 25 (€ 0,20 pm)
www.mlds.nl

NIGZ Nationaal Instituut voor Gezondheidsbevordering
en Ziektepreventie.
De Bleek 13 (3447GV)
Postbus 500, 3440 AM Woerden
(0348) 43 76 00, nigz@nigz.nl
www.nigz.nl

Trimbos-instituut
Da Costakade 45 (3521 VS)
Postbus 725, 3500 AS Utrecht
(030) 297 11 00, info@trimbos.nl
www.trimbos.nl
Landelijk kennisinstituut geestelijke gezondheidszorg,
verslavingszorg en maatschappelijke zorg.

Single of samen
—— problemen binnen relaties
SOS Telefonische Hulpdienst
Bisonspoor 6008, 3605 LW Maarssen
(0346) 59 00 98, info@sostelefoondienst.nl
Informatielijn: 0900-07 67 (€ 0,05 pm, 7 dpw/24 upd)

Stichting Korrelatie
Willem Dreeslaan 18 (3515 GB)
Postbus 9484, 3506 GL Utrecht
(030) 271 01 00, vraag@korrelatie.nl
www.korrelatie.nl
Informatielijn: 0900-14 50 (€ 0,30 pm)
Hulp, informatie en deskundig advies rond zorg en welzijn.

Slachtofferhulp Nederland
Pallas Athenedreef 27 (3561 PE)
Postbus 14208, 3508 SH Utrecht
(030) 234 01 16, info@slachtofferhulp.nl
Informatielijn: 0900-01 01 (lokaal tarief),
www.slachtofferhulp.nl

seksualiteit

Rutgers Nisso groep
Oudenoord 176-178 (3513 EV)
Postbus 9022
3506 GA Utrecht
(030) 231 34 31, rng@rng.nl
www.rutgersnissogroep.nl
Informatielijn 0900-511 22 33 (€ 0,50 pm)
Onderzoek en voorlichting over seksualiteit.

ontmoeting & relaties

Mens & Relatie
Kaldenkerkerweg 15, 5913 AB Venlo
(077) 3520353, info@mensrel.n
www.mens-en-relatie.nl
Informatielijn: 0800-023 05 95
Serieuze bemiddeling man/vrouw-relaties.

Interrelatie Zaanstad
(075) 6402511, bureau@interrelatie.nl
www.interrelatie.nl
Bemiddeling duurzame relaties man/man en vrouw/vrouw.

Just2Match
Herengracht 342, Postbus 11356
1001 GJ Amsterdam
(020) 621 11 21 . info@just2match.com
www.just2match.com
Introductieservice voor singles hbo+

Mates & Dates
Lage Huis 43, 4153CS Beesd
(0345) 47 36 89, info@matesanddates
www.matesanddates.nl
Ongedwongen kennismaking op vriendschappelijke wijze
tijdens weekeinden, workshops en uitjes (voor 40+ singles).

PartnerSelect
Olivier van Noortlaan 110/118, 3131 AT Vlaardingen
0800- 472 31 89, info@partnerselect.net
www.partnerselect.net
Groot landelijk bureau voor iedereen die op een serieuze
en veilige manier op zoek wil naar een partner.

www.relatierelatie.nl
Internetsite met 'Keurmerk relatiebemiddeling'. Contact
leggen zonder tussenkomst van anderen.

Sociale contacten
algemeen
www.50plusnet.nl
Uitbreiding sociaal netwerk van senioren. 50plusnet wordt
gefinancierd door NIGZ, SeniorWeb, ZonMw, VSBfonds,
RCOAK, Nationaal Fonds Ouderenhulp en Fonds
1818. Deelname is gratis.
Hernieuwde kennismaking
www.schoolbank.nl
www.dienstmakkers.nl
www.workmates.nl
Problemen bij het maken van contact
VVM (Vereniging voor Verlegen Mensen)
Postbus 54580, 3008 KB Rotterdam
(0174) 24 07 07, info@verlegenmensen.nl
www.verlegenmensen.nl
Contact, cursussen, zelfhulpgroepen, activiteiten en
een eigen blad.

Financiën met kleine en grote beurs
Algemeen
NIBUD (Nationaal Instituut voor Budgetvoorlichting)
Postbus 19250 , 3501 DG Utrecht
(030) 23 91 350, info@nibud.nl
www.nibud.nl

www.reclamefolders.net
Bijna alle actuele folders van de bekende winkels online.

MiepKniep
Hendrik Jacobszstraat 13-hs, 1075 PA Amsterdam
(020) 689 40 00, info@miepkniep.nl
www.miepkniep.nl
MiepKniep zoekt de laagste prijs en plaatst uw bestelling bij
de leverancier met de beste aanbieding.

Zuinigheid met Stijl
St. Pietersluisweg 55, 6212 XV Maastricht.
(043) 310 10 21, info@zuinigheidmetstijl.nl
www.zuinigheidmetstijl.nl
Bespaartips op allerlei gebied. Voorheen uitgevers van de
'Vrekkenkrant'. De opvolger 'Genoeg' is online te bekijken.

www.gratisoptehalen.nl
Aanbieden of ophalen van allerhande gratis spullen.
www.marktplaats.nl
Aanbod tweedehands goederen
www.2ehands.nl
www.kieskeurig.nl
Vergelijk prijzen, producten en winkels.
Reviews en informatie over kopen op internet.

SVB (Sociale Verzekerings Bank)
Van Heuven Goedhartlaan 1 (1181 KJ)
Postbus 1100, 1180 BH Amstelveen
(020) 656 56 56, communicatie@svb.nl
www.svb.nl

www.belastingdienst.nl

Ministerie VROM
Rijnstraat 8 (2515 XP)
Postbus 20951, 2500 EZ Den Haag
(070) 339 39 39, huursubsidieinfo@minvrom.nl
koopsubsidie@minvrom
Informatielijn Huursubsidie: 0800-488 77 82
Informatielijn Koopsubsidie: 0800-566 77 82
www.vrom.nl

Uitzendbureau 65+
Westzijde 346, 1506 GK Zaandam
(075) 653 99 39, info@65plus.nl
www.65plus.nl
Uitzendbureau (10 vestigingen) voor senioren vanaf 65 jaar.
'Kleurrijke mensen vergrijzen niet...' vermeldt de website.

Outstanding
Naritaweg 12E, 1043 BZ Amsterdam
(020) 799 09 49, info@outstanding.nl
informatielijn: 0900-656 56 55 (lokaal tarief)
www.outstanding.nl
'Het uitzendbureau (5 vestigingen) voor ervaren generaties.'

Senior Uitzendbureau B.V.
Huizerweg 44 (1402 AC)
Postbus 1198, 1400 BD Bussum
(035) 6922928, bussum@seniorgroep.nl
www.seniorgroep.nl/uitzendbureau
'Van schoonmaker tot directeur' vanaf 40 jaar.

www.midlife.nl
info@midlife.nl
Online vacaturebank voor 50-plussers

Vrijwilligerscentrale
info@vrijwilligerscentrale.nl
www.vrijwilligerscentrale.nl
Vacaturebank voor vrijwilligerswerk Nederland,
in samenwerkng met 130 lokale afdelingen.

UVV (Unie Van Vrijwilligers)
Prins Hendriklaan 94, 2051 JG Overveen
(023) 525 65 38, tomdegraaff@quicknet.nl
www.uvvnet.nl
Landelijke organisatie met 120 afdelingen en circa
20.000 vrijwilligers, die zich gemiddeld een paar uur per
week inzetten voor de oudere, zieke, gehandicapte of
anderszins hulpbehoevende medemens.

Het Nederlandse Rode Kruis
Leeghwaterplein 27 (2521 CV)
Postbus 28120, 2502 KC Den Haag
(070) 445 56 66, info@redcross.nl
www.rodekruis.nl
Vrijwilligerswerk: bestuurlijk, EHBO, rampen, vluchte-
lingenwerk, Mappa Mondo, sociaal vervoer, vakanties,
onderzoek, opleiding, communicatie en fondsenwerving.

De Zonnebloem
Zorgvlietstraat 491 (4834 NH)
Postbus 2100, 4800 CC Breda
(076) 564 63 62, info@zonnebloem.nl
www.zonnebloem.nl
38.000 vrijwilligers: voor mensen met lichamelijke beperkingen door ziekte, handicap of leeftijd (huisbezoeken,
uitstapjes, excursies, vakanties, Theater Tournee)

ondersteuning vrijwilligerswerk

NOV (Vereniging Nederlandse Organisaties Vrijwilligerswerk)
Plompetorengracht 17 (3512 CB)
Postbus 12080, 3501 AB Utrecht
(030) 750 90 95, algemeen@nov.nl
www.nov.nl
Het NOV komt op voor de belangen van vrijwilligers.

CIVIQ
Plompetorengracht 17 (3512 CB)
Postbus 12080, 3501 AB Utrecht
(030) 750 90 05, algemeen@civiq.nl
Informatielijn 0900-899 86 00 (€ 0,20 pm)
www.civiq.nl
Het CIVIQ (Instituut Vrijwillige Inzet) adviseert en
ondersteunt verenigingen en vrijwilligersorganisaties.

www.rie.nl
Informatie over de 'Risico Inventarisatie en Evaluatie'

vrijwilligerskaart

De Vrijwilligerskaart
Bilderdijkstraat 80, 3532 VJ Utrecht
(030) 230 30 40, info@vrijwilligers.nl
www.vrijwilligers.nl
Initiatief van de stichting LOVF (Loyaliteit en Ondersteuning van Vrijwilligers en Fondsenwerving)

Aan de studie

beeldende kunst

Stichting Beeldende Amateurkunst
Boothstraat 3, 3512 BT Utrecht
(030) 234 22 11, bureau@sbakunst.nl
www.sbakunst.nl

muziek

UNISONO
Plompetorengracht 3, 3512 CA Utrecht
(030) 233 56 00, unisono@amateurmuziek.nl
www.amateurmuziek.nl

dans

LCA (Landelijk Centrum voor Amateurdans
Oudegracht 25 (3511 AB)
Postbus 452, 3500 AL Utrecht
(030) 233 42 55, lca@dansweb.nl
www.dansweb.nl

schrijven

Stichting Schrijven
Herengracht 495, 1017 BT Amsterdam
(020) 625 41 41, info@schrijven.org
www.schrijven.org

fotografie

Fotobond
(Bond van Nederlandse Amateur Fotografen Verenigingen)
Zandeiland 3, 5658 AK Eindhoven
(040) 251 40 74, info@fotobond.nl
www.fotobond.nl

amateurkunst algemeen

www.amateurskunst.net

schriftelijk studeren

LOI
Leidsedreef 2, 2352 BA Leiderdorp
Antwoordnummer 10600 (postzegel niet nodig),
2300 WC Leiden.
(071) 545 12 34, loi@loi.nl
www.loi.nl

NHA
Industrieterrein 37 (5981 NK)
Postbus 7006, 5980 AA Panningen
(077) 306 70 00, info@nha.nl
www.nha.nl

televisie en studie

Stichting Teleac/NOT
Wilhelminastraat 21 (1211 RH)
Postbus 1070 , 1200 BB Hilversum
(035) 629 34 56, teleacnot@teleacnot.nl
Informatielijn: 0900-1344 (€ 0,20 pm)
www.teleac.nl

'klassikaal' studeren

Vavo (voortgezet algemeen volwassenenonderwijs)
Informatie via de Bve Raad
Henrica van Erpweg 2 (3732 BG)
Postbus 196, 3730 AD De Bilt
(030) 221 98 11, info@bveraad.nl
www.bveraad.nl
Landelijke brancheorganisatie van onderwijsinstellingen,
middelbaar beroepsonderwijs en de volwasseneneducatie.

Bond van Nederlandse Volksuniversiteiten
Karel Doormanstraat 24, 3012 GJ Rotterdam
(010) 281 01 06, vubnvu3@csnet.nl
www.volksuniversiteit.nl

Hovo Nederland (Hoger onderwijs voor ouderen)
Postbus 1287, 6501 BG Nijmegen
(024) 361 19 77 , info@hovo-nederland.org
www.hovo-nederland.org

zelfstudie met begeleiding

OpenUniversiteitNederland
Valkenburgerweg 177 (6419 AT)
Postbus 2960, 6401 DL Heerlen
(045) 576 28 88, info@ou.nl
www.ou.nl

Mantelzorg verdient de aandacht

verenigingen

ANGO
(De Algemene Nederlandse Gehandicapten Organisatie)
Koningin Wilhelminalaan 17 (3818 HM)
Postbus 850, 3800 AW Amersfoort
(033) 465 43 43, info@ango.nl
www.ango.nl
De grootste algemene belangenorganisatie van, voor en door
gehandicapten in Nederland.

www.handicap.nl
Informatie over een groot aantal onderwerpen. 'Advies bij ingewikkelde regelingen, ambtenarij en bureaucratie', vermeldt de website.

Mezzo (voorheen LOT/X-zorg)
John F. Kennedylaan 99 (3981 GB)
Postbus 179, 3980 CD Bunnik
(030) 659 22 22, mantelzorglijn@mezzo.nl
mantelzorglijn: 0900-20 20 496 (€ 0,10 pm)
www.mantelzorg.nl

—— indicatiestelling
Centrum Indicatiestelling Zorg (CIZ)
Princenhof Park 3 (3972NG)
Postbus 232, 3970 AE Driebergen-Rijsenburg
(030) 698 16 30, info@ciz.nl
www.ciz.nl

—— ondersteuning Indicatie
MEE (ondersteuning bij hulpaanvragen CIZ)
Maliebaan 71f (3581 CG)
Postbus 85271, 3508 AG Utrecht
Informatielijn: 0900-999 8888 (lokaal tarief)
www.mee.nl

—— persoonsgebonden budget (PGB)
SVB servicecentrum PGB
Graadt van Roggenweg 450 (3531 AH)
Postbus 8038, 3503 RA Utrecht
(030) 264 82 00, servicecentrumpgb@svb.nl

—— ondersteuning bij beperkingen
IRV (Kenniscentrum voor Revalidatie en Handicap)
Zandbergsweg 111 (6432 CC)
Postbus 192, 6430 AD Hoensbroek
(045) 523 75 37, general@irv.nl
www.irv.nl

—— handige hulpmiddelen
Hulpplus
Nobelstraat 16 (3846 CG)
Postbus 851, 3840 AW Harderwijk
(0341) 45 53 82, info@hulpplus.nl
www.hulpplus.nl
Groot aantal handige hulpmiddelen voor huishoudelijke taken, comfort in huis en mobiliteit. Bestellen kan via de post of via internet.

Kleinkinderen zijn geliefd

ideeën, uitjes en tips

www.uitmetkinderen.nl

www.kinderpretpagina.nl

www.familiegids.nl

www.vooroma.nl

Modern online 'tijdschrift' voor oma's (en opa's)

veiligheid

Consument en veiligheid

Rijswijkstraat 2 (1059 GK)

Postbus 75169, 1070 AD Amsterdam

(020) 511 45 11, info@veiligheid.nl

Informatielijn: (020) 511 45 67 (werkdagen 9.00 - 13.00)

www.veiligheid.nl

problemen

AMK (Advies en Meldpunt Kindermishandeling)

www.amk-nederland.nl

Informatielijn: 0900-123 12 3 0 (€ 0,05 pm)

KOG (Kinderen-Ouders-Grootouders)

Koninginneweg 90, 2012 GR Haarlem

(023) 532 12 23 (op werkdagen van 9.00 tot 10.00 uur)

t.p.barendse@kpnlanet.nl

www.stichtingkog.info

www.kindermishandeling.nl

In beweging blijven loont

blessures

www.blessure-aanwijzer.nl

Website van (sport)massagepraktijk. Blessuregebieden kunnen op afbeeldingen worden aangeklikt. Daarna volgt een diagnose van de mogelijke oorzaak en informatie over preventie en behandeling.

www.loopwereld.nl

Informatie over stretchen

televisie

www.avro.nl (kies TV en vervolgens programma's A-Z)

Informatie over het programma 'Nederland in beweging'

bewegen met beperkingen

www.sportiefbewegen.nl

Informatie over bewegen met een chronische aandoening.

algemeen

Nederlands Bureau voor Toerisme & Congressen
Vlietweg 15 (2266 KA)
Postbus 458, 2260 MG Leidschendam
(070) 370 57 05, info@holland.com
www.nbtc.nl
www.holland.com
Toeristische informatie en met zoekfunctie dichtstbijzijnde
VVV-kantoor.

www.reiswijs.nl
Groot aantal nuttige en interessante links naar websites met
het onderwerp reizen.

natuur

Staatsbosbeheer
Princenhof Park 1 (3972 NG)
Postbus 1300, 3970 BH Driebergen.
(030) 69 261 11, info@staatsbosbeheer.nl
www.staatsbosbeheer.nl

Natuurmonumenten
Schaep en Burgh , Noordereinde 60 (1243 JJ)
Postbus 9955, 1243 ZS 's-Graveland
(035) 655 99 33, info@natuurmonumenten.nl
Informatielijn: (035) 655 99 11
www.natuurmonumenten.nl

IVN Nederland
(Instituut voor Natuurbeschermingseducatie)
Plantage Middenlaan 2c (1018DD)
Postbus 20123, 1000 HC Amsterdam
(020) 622 81 15, ivn@ivn.nl
www.ivn.nl

reistijden en routes

www.ns.nl
Reisplanner en informatie Nederlandse Spoorwegen.

www.9292ov.nl
Van 'deur tot deur' reisplanner openbaar vervoer.

www.routeanwb.nl
Plannen van routes voor auto of motorfiets.

Vrienden op de fiets
Ereprijshof 7 , 3991 GV Houten
(030) 267 90 70, info@vriendenopdefiets.nl
www.vriendenopdefiets.nl
Logeren voor een vriendenprijs (ruim 2650 adressen).

Stichting Landelijk Fietsplatform
Berkenweg 30 (3818 LB)
Postbus 846, 3800 AV Amersfoort
(033) 465 36 56, slf@fietsplatform.nl
www.fietsplatform.nl
Coördinatiepunt promotie en belangenbehartiging recreatief
fietsen. Samensteller Fietsideeënkaart en ontwikkelaar van de
Landelijke Fietsroutes (LF-routes).

NTFU (Nederlandse Toer Fiets Unie)
Landjuweel 5 (3905 PE)
Postbus 326, 3900 AH Veenendaal
(0318) 58 13 00, info@ntfu.nl
www.ntfu.nl
Overkoepelende organisatie met circa 500 aangesloten
toerfietsverenigingen. Informatie over fietstochten,
sterrentochten, lidmaatschap, ToerFietsKaart en kortingen
bij diverse evenementen en toertochten.

www.fietspad.nl
Honderden fietsroutes en de adressen van heel veel andere
websites over fietsen.

www.fietsen.123.nl
Uitgebreide informatie over fietsen en relevante onderwerpen.

Landelijk bureau Fietsersbond
Balistraat 59 (3531 PV)
Postbus 2828, 3500 GV Utrecht
(030) 291 81 71, info@fietsersbond.nl
www.fietsersbond.nl

www.ns.nl
Op de homepage van de website klikt u op 'Nederland'.
Daarna kiest u onder het menu 'Nieuws & Uittips'
het onderwerp 'Actief'

wandelen

KNBLO-Wandelsportorganisatie Nederland
Postbus 1020, 6501 BA Nijmegen
wandel@knblo.nl
www.wandel.nl

www.4daagse.nl
www.nordicwalking.nl
www.anwb.nl
www.pieterpad.nl
www.wandelzoekpagina.nl

KNAU Sportief Wandelen
Postbus 60100, 6800 JC, Arnhem
(026) 483 48 03, info@knau.nl
www.knau.nl (selecteer loopsport)

Landelijke Oppas Centrale

Holiday Link
Postbus 70 - 155, 9704 AD Groningen
(050) 313 35 35 (vakantieoppas)
(050) 313 24 24 (woningruil)
loc@holidaylink.com (vakantieoppas)
lovw@holidaylink.com (woningruil)
www.holidaylink.com

de caravan

ANWB
Wassenaarseweg 220 (2596 EC)
Postbus 93200, 2509 BA Den Haag
(070) 314 71 47, avs@anwb.nl
www.anwb.nl
Informatielijn: 0800-0503
Autoadvieslijn: (070) 314 50 00 (alleen voor leden)
Caravanadvieslijn: (070) 314 50 70 (alleen voor leden)

ANWB Test- en Trainingscentrum

ANWB Test- en Trainingscentrum (070) 314 64 68.
verkeersveiligheidstrainingen@anwb.nl
www.anwb.nl (type in het zoekvenster 'caravantraining')

Kampeer & Caravan Kampioen
Postbus 93200, 2509 BA Den Haag
(070) 314 14 70, kck@anwb.nl
www.kck-online.nl

ANWB-kampeerreizen
www.anwb.nl (type in het zoekvenster 'kampeerreizen')

ACSI Caravan & Camper Rally's
Postbus 34, 6670 AA Zetten
(048) 842 08 10, info@acsi-rally.com, info@acsi-gids.com
www.acsi.nl

Kangaroo Camper & Caravan Travelling B.V.
Postbus 56, 9695 ZH Bellingwolde
(0487) 59 57 08, info@kangaroo.nl
www.kangaroo.nl

Senior Vakantie Plan
Postbus 1334, 1400 BH Bussum
(035) 693 30 17, info@seniorvakantieplan.nl
www.seniorvakantieplan.nl

Zorg Vakantie Plan
Postbus 261, 6040 AG Roermond
(0475) 53 29 95, info@zorgvakantieplan.nl
www.zorgvakantieplan.nl
Advies, bemiddeling en vakantiebegeleiding

De Zonnebloem
Zorgvlietstraat 491 (4834 NH)
Postbus 2100, 4800 CC Breda
(076) 564 63 62, info@zonnebloem.nl
www.zonnebloem.nl

www.overwinteren.com
Informatie, literatuur en lezingen.

Ministerie van Buitenlandse Zaken
Bezuidenhoutseweg 67 (2594 AC)
Postbus 20061, 2500 EB Den Haag
(070) 348 64 86, e-mail via formulier op de website
www.minbuza.nl
De folder 'Wijs op reis' kan via de website worden
gedownload. Over praktisch elk land ter wereld
interessante feiten, cijfers en reisadviezen.

www.gezondopreis.nl
Informatie per land van bestemming, reistips, actueel nieuws,
adressen voor vaccinaties en medische ondersteuning.

GGD Nederland
Adriaen van Ostadelaan 140 (3583 AM)
Postbus 85300, 3508 AH Utrecht
(030) 252 30 04, postbus@ggd.nl
www.ggd.nl

Travel Clinic
Haringvliet 72, 3011 TG Rotterdam
(010) 412 38 88 (geen vragen per e-mail)
www.travelclinic.com
Medische diensten voor reizen of verblijf in de (sub)tropen.

Tropencentrum
Meibergdreef 9, 1105AZ Amsterdam Zuidoost
(020) 566 38 00, trop.amc@amc.uva.nl
www.tropencentrum.nl
Polikliniek tropische ziekten, reizigersadvies en keuringen.

www.dereisdokter.nl
Deskundig advies, vaccinaties, malariapreventie en medical
kits. Afspraken en persoonlijk advies op locatie via de website.
Vestigingen: buitensportcentra in de grote steden.

Huis en haard

veiligheid

Consument en veiligheid
Rijswijkstraat 2 (1059 GK)
Postbus 75169, 1070 AD Amsterdam
(020) 511 45 11, info@veiligheid.nl
Informatielijn (020) 511 45 67 (werkdagen 9.00 - 13.00)
www.veiligheid.nl

inbraak

www.politiekeurmerk.nl
informatie over het keurmerk via
CB&V Centrum voor Beveiliging & Veiligheid
Nieuwe Kanaal 9/e (6709 PA)
Postbus 324, 6700 AH Wageningen
Informatielijn: 0900-235 75 89 (€ 0,50 pm), info@cbenv.nl
www.cbenv.nl

financieel

Torenstad Verzilverd Wonen®
Lokenstraat 8 (7201MP)
Postbus 4170 , 7200 BD Zutphen
(0575) 51 13 93, info@verzilverdwonen.nl
www.verzilverdwonen.nl

Amvest HomeFree
Stationsplein 8 (4611 CC)
postbus 39, 4600 AA Bergen op Zoom
(0800) 633 87 65, gmj.moelands@meeus.com
www.amvesthomefree.nl

diversen

Vereniging Eigen Huis
Postbus 735 , 3800 AS Amersfoort
(033) 450 77 50, eigenhuis@veh.nl
www.eigenhuis.nl

Huurcommissie
Postbus 16495, 2500 BL Den Haag
Informatielijn: 0800-488 72 43
www.vrom.nl
Onafhankelijke organisatie voor geschillen tussen huurder
en verhuurder over onderhoud, huurprijs en servicekosten.

www.funda.nl
Dé huizenwebsite van Nederland. Overzichtelijk zoeken op
gewenste prijs, locatie, type woning en aantal kamers.

www.funda.nl/verhuizen
Uitgebreide informatie over verhuizen

De computer en ander technisch vernuft

computercursussen en informatie

SeniorWeb
Gebouw Krammstate,
Christiaan Krammlaan 8 (3571 AX)
Postbus 222, 3500 AE Utrecht
(030) 276 99 45, info@seniorweb.nl
www.seniorweb.nl
Via de website vindt u een ' Seniorweb leercentrum' bij u in
de buurt. Ook diverse (gratis) online cursussen, tips en een
computerwoordenboek.

informatie over 'Visual Steps' cursusboeken

Visual Steps BV
Postbus 70, 1420 AB Uithoorn
(0297) 38 64 44, info@visualsteps.nl
www.visualsteps.nl

aangepast computeronderwijs

IRV - Hoensbroek (adresgegevens: zie onder 'Mantelzorg')
(045) 523 75 37 (Manon Verdonschot)
Aangepast computeronderwijs voor mensen met een licht
tot matige beperking.

gratis telefoneren via internet

www.skype.com

Secufone

www.secufone.nl
Gelderlandhaven 7C, 3433 PG Nieuwegein
(030) 601 77 83, info@secufone.nl

Mybell

Mybell klantenservice
Postbus 1563, 3260 BB Oud-Beijerland
Informatielijn: 0800- 235 69 23, klantenservice@mybell.nl
www.mybell.nl

muziek downloaden

www.apple.com/nl/itunes
Meer downloads van muziek, films, games en boeken:
www.downloadwinkels.nl

aanbod computers en andere apparatuur

www.kieskeurig.nl
Prijzen, producten en winkels met elkaar vergelijken.
Verder ook reviews en informatie over kopen op internet.
www.dpreview.com
Engelstalige website met uitgebreide (technische) informatie
over bijna alle merken fotocamera's, met beoordeling.

Als het maar niet went thuis

depressief

NFGV - Depressie Centrum
Postbus 5103, 3502 JC Utrecht, (030) 297 11 97
depressiecentrum@fondspsychischegezondheid.nl
Informatielijn 0900-903 90 39 (€ 0,20 pm)
www.depressiecentrum.nl

verlies

Landelijke Stichting Rouwbegeleiding
Bekkerstraat 120 (3572 SL)

Postbus 13189, 3507 LD Utrecht
(030) 276 15 00 (9.00/12.00 uur) , info@verliesverwerken.nl
www.verliesverwerken.nl

Bonden op de bres

ANBO (Algemene Nederlandse Bond van Ouderen)
Koningin Wilhelminalaan 3 (3527 LA)
Postbus 18003, 3501 CA Utrecht
(030) 233 00 60 , info@anbo.nl
www.anbo.nl

Unie KBO (Katholieke Bond voor Ouderen)
Oranje Nassaulaan 1 (5211 AR)
Postbus 325, 5201 AH, 's-Hertogenbosch
(073) 612 34 75, secretariaat@uniekbo.nl
www.uniekbo.nl

NOMA (Nederlandse Bond Oudere Migranten Actief)
Plantage Middenlaan 14-I, 1018 DD Amsterdam
(020) 752 51 84, noma@cosbo-amsterdam.nl

NVOG (Nederlandse Vereniging van Organisaties van
Gepensioneerden)
Ruusbroeclaan 21 , 5611 LT Eindhoven
(040) 211 02 27, nvog@gepensioneerden.nl
www.gepensioneerden.nl

PCOB (Protestants Christelijke Ouderen Bond)
Blijmarkt 12, 8011 NE Zwolle
(038) 422 55 88, info@pcob.nl
www.pcob.nl

CSO
(Coördinatieorgaan Samenwerkende Ouderenorganisaties)
Chr. Krammlaan 6 (3571 AX)
Postbus 222, 3500 AE Utrecht
(030) 276 99 85, cso@ouderenorganisaties.nl
www.ouderenorganisaties.nl

Tot slot en de geraniums

Nederlandse Pelargonium & Geraniumvereniging
(0180) 41 73 45, wpferguson@planet.nl
www.npgv.nl

De groep vijftigplussers in Nederland groeit het hardst van alle leeftijds-
groepen in onze maatschappij. Nu al is één op de drie mensen vijftig jaar of
ouder. Een groep met veel levenservaring, die goed weet wat ze wel wil en wat
ze niet wil. In de mediawet staat dat de programma's van de publieke omroep
op evenwichtige wijze een beeld van de samenleving moeten geven. In het
huidige programma-aanbod is echter te weinig aandacht en ruimte voor de
leefwereld van vijftigplussers. In opdracht van MAX heeft het NIPO een
onderzoek uitgevoerd onder mensen van 50 jaar en ouder. Daaruit bleek dat
maar liefst 80% geïnteresseerd is in nieuwe programma's, afgestemd op de
behoeften en denkwereld van de doelgroep. Inmiddels kan MAX rekenen
op de steun van meer dan 100.000 leden.

Sinds september 2005 zendt MAX programma's uit bij de publieke
omroep voor mensen van 50 jaar en ouder. Bekende programma's op tv zijn
onder andere: *MAX & Martine, In de Knip* en *MAX Maakt Mogelijk*.
Ook op de radio zendt MAX succesvolle programma's uit, waaronder
Wekker-Wakker!, Easy Listening, Meta op Zondag, Mezzo en *Max
voor Middernacht.* De internetsite van MAX wordt wekelijks door
tienduizenden mensen bezocht.

Meer informatie over de activiteiten en de programma's van MAX vindt u op:
www.omroepmax.nl. Wilt u lid worden (€ 5,72 per jaar voor 2007) of
een gratis proefnummer aanvragen van MAX Magazine, dan kan dat per
telefoon (079) 316 28 94, per email: info@omroepmax.nl of via de website.

SLOTERVAART

Pieter Callandlaan 87 b   1065 KK Amsterdam
Tel. 615 05 14
slvovv@oba.nl